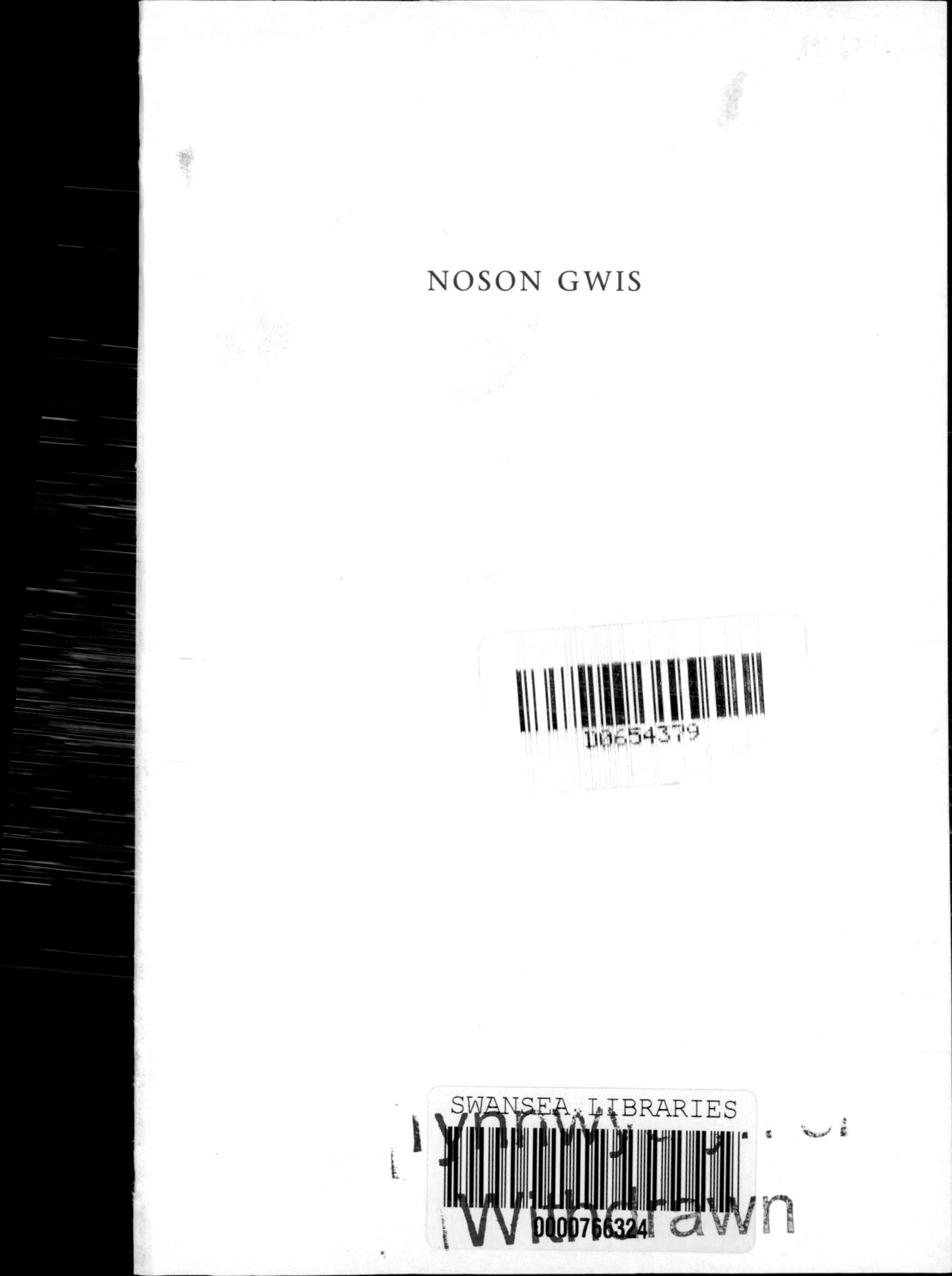

NOSON GWIS

NOSON GWIS

ROLANT ELLIS

CYMDEITHAS LYFRAU CEREDIGION GYF

Cyhoeddwyd gan Gymdeithas Lyfrau Ceredigion Gyf.,
Blwch Post 21, Yr Hen Gwfaint, Ffordd Llanbadarn,
Aberystwyth, Ceredigion SY23 1EY.
Argraffiad cyntaf: Hydref 2004
Clawr meddal: ISBN 1-84512-019-1

Dyluniwyd y clawr gan Adran Ddylunio Cyngor Llyfrau Cymru
Cefnogwyd y gyfrol gan Gyngor Llyfrau Cymru
Argraffwyd gan Creative Print & Design Cymru, Glynebwy NP23 5XW

Gwnaed pob ymdrech i sicrhau bod yr atebion yn gywir. Os digwydd ichi weld camgymeriad, rhowch wybod i'r cyhoeddwyr.

Cyflwynedig i'm Rhieni

CYFLWYNIAD

Mae'r rhan fwyaf ohonom yn mwynhau cwis ac mae'r ffaith bod cwisiau ar nifer o sianeli teledu yn dangos pa mor boblogaidd ydyn nhw. Mae miliynau o bobl yn gwylio 'Mastermind', 'Blockbuster', 'University Challenge', 'Who Wants To Be A Millionaire?', 'A Question of Sport', 'Fifteen To One' yn Saesneg, a 'Jacpot', 'Monopoly' ac eraill ar S4C.

Mae'n hwyl gweld pobl yn methu ateb cwestiynau syml, ac yn ddiddorol gweld pobl beniog yn saethu drwy gwestiwn ar ôl cwestiwn, a'r gwylwyr yn methu credu bod unrhyw un yn gwybod mai Sagamore Hill oedd enw cartref Theodore Roosevelt, neu fod Everton wedi ymddangos 23 gwaith yn rownd gynderfynol Cwpan yr FA!

Go fratiog yw gwybodaeth gyffredinol llawer ohonom. Ond o gofio y bydd nifer go uchel yn cystadlu ym mhob tîm mewn noson gwis, os yw pawb yn cymryd rhan, go brin y bydd unrhyw dîm yn methu ateb yr un cwestiwn o gwbl!

I sicrhau llwyddiant noson gwis, mae sawl peth yn angenrheidiol. Y cyntaf, a'r mwyaf pwysig, yw:

Cwisfeistr

Rhaid gwneud yn hollol glir, o'r cychwyn cyntaf, mai'r cwisfeistr yw'r bòs, ac na chaniateir apêl yn erbyn ei benderfyniadau. Rhaid cofio y gall yr atebion i rai cwestiynau fod yn amwys, felly mae'n bwysig bod pob tîm yn derbyn ei ddyfarniad. Er mwyn cadw'r achlysur yn gyfeillgar, dylid osgoi unrhyw ddadlau na drwg-deimlad os gwneir mân gamgymeriadau gan gwisfeistr.

Byddai'n fantais i'r Cwisfeistr fod yn gyfarwydd â'r cwestiynau ymlaen llaw. Gall noson gwis droi'n ddiflas os yw'r Cwisfeistr yn baglu dros ei eiriau, neu'n camynganu darn allweddol o gwestiwn. Dylai o leiaf ddarllen drwy'r cwestiynau cyn dechrau holi.

Cael hwyl yw'r nod, felly mae'n bwysig i'r Cwisfeistr gadw'r awyrgylch yn ysgafn a chyfeillgar. Dylai fod yn barod i gydnabod unrhyw gamgymeriadau o'i eiddo ei hun yn ddirwgnach.

Rhaid iddo siarad yn glir ac yn ddealladwy, a bod yn barod i ailadrodd y cwestiwn, a hefyd yr ateb, os na chlywodd y gynulleidfa mohono. Peth cas iawn yw clywed cwestiwn, ond methu clywed yr ateb!

Dylai'r Cwisfeistr fod yn weddol llym ynglŷn â'r amser a ganiateir i ateb cwestiynau, er mwyn osgoi cyfnodau hir a diflas rhwng y cwestiynau.

Peth arall i'r Cwisfeistr benderfynu yw pa mor fanwl gywir y mae'n rhaid i ateb fod. Os yw'n bosib, dylai ddweud ymlaen llaw, 'Fe dderbyniaf ateb o fewn y cant (neu'r fil, y filiwn ac ati) agosaf'. Yn aml, rhaid iddo farnu a yw ateb yn haeddu marciau llawn, hanner y marciau ynteu a ddylai drosglwyddo'r cwestiwn i'r tîm arall. Mae'n dderbyniol rhoi hanner y marciau i un tîm, ac yna gynnig y cwestiwn i'r tîm arall am weddill y marciau.

Cadw'r Sgôr

Dyma fater pwysig! Gellir penodi Sgoriwr, neu fe all y Cwisfeistr gadw'r sgôr ei hun. Dylid penderfynu ar hyn ymlaen llaw. Rhaid gwneud yn glir o'r cychwyn faint o farciau a roddir am ateb cywir – awgrymir y byddai pedwar marc yn sgôr addas, gan ei fod yn rhif hawdd ei rannu.

Mater o farn yw a ddylid gadael i'r timau wybod y sgôr yn ystod y cwis ai peidio. Gall ychwanegu at gyffro'r noson, ond fe all ddigalonni tîm sydd ymhell ar ei hôl hi.

Cofiwch y pethau bach

I orffen, gair bach i drefnwyr y cymdeithasau sy'n cynnal y cwis. Os oes Cwisfeistr gwâdd yn dod, fe ddylid ei drin â dyledus barch – ei groesawu yn deilwng, gwneud yn siŵr fod ganddo ddigon o le, cadair gyfforddus, bwrdd i'w bapurau, pensiliau neu feiros, a diod. Dylid hefyd ei gyflwyno'n deilwng yn hytrach na gadael iddo gyflwyno'i hun.

1 AMLDDEWIS

1 Pwy, beth neu pa le yw Antananarivo?
- Math o bwdin o Wlad Pwyl
- Prifddinas Madagasgar
- Cyfarchiad yn iaith Romania
- Enw'r dyn wnaeth ddarganfod Alaska
- Pysgodyn

2 Ym mha flwyddyn y cyhoeddwyd *Y Beibl Cymraeg Newydd*?
- 1984
- 1986
- 1988
- 1990
- 1992

3 P'un o'r rhain yw'r mwyaf gogleddol?
- Tywyn (Meirionnydd)
- Amwythig
- Y Trallwng
- Dolgellau
- Llanfair Caereinion

4 Pwy oedd Hannibal Hamlin?
- Capten cyntaf tîm pêl-droed Lloegr
- Awdur llyfrau plant yn oes Victoria
- Y dyn cyntaf i fynd dros raeadr Niagara mewn casgen
- Is-arlywydd cyntaf Abraham Lincoln
- Enw cymeriad yn y ffilm *Silence of the Lambs*

5 Pwy ddywedodd 'Nid yw pobol yn fodlon cael eu rheoli gan rai nad ydynt yn siarad eu hiaith'?

- Llew Smith
- Dafydd Wigley
- Norman Tebbitt
- Margaret Thatcher
- Jean-Marie Le Pen

6 Pwy, beth neu pa le yw Grampus 8?

- Math o gwlwm
- Corwynt
- Planhigyn
- Tîm pêl-droed o Siapan
- Aderyn

7 Beth yw Gitchee Gumee?

- Dawns o America Ladin
- Llyn
- Esgid
- Melysion
- Cymeriad cartŵn

8 Pwy neu beth yw Cotopaxi?

- Lliw
- Llosgfynydd
- Aderyn
- Math o eli
- Arweinydd Indiaid yr Amason yn Brasil

9 Beth yw Durango?

- Talaith ym Mecsico
- Tsimpansî
- Diod oren
- Pysgodyn
- Gêm fwrdd

10 Pa wlad oedd y ddiwethaf i Brydain gyhoeddi rhyfel yn swyddogol yn ei herbyn?

- Siapan
- Yr Aifft
- Yr Eidal
- Thailand
- Irac
- Ariannin

11 Beth a gyhoeddwyd ym mhapur newydd y *New York World* ar Ragfyr 21ain 1913?

- Cyhoeddiad geni Ronald Reagan
- Yr *horoscopes* cyntaf
- Erthygl gan David Lloyd George yn erbyn ysmygu
- Y golofn '*lonely hearts*' gyntaf
- Y croesair cyntaf

12 Beth oedd yn arbennig am y gêm rygbi rhwng Cymru a Ffrainc a chwaraewyd yn y Stadiwm Genedlaethol yn 1991?

- Y gêm rygbi ryngwladol gyntaf i gael ei chwarae dan lifoleuadau
- Y gêm olaf i'w chwarae yn yr hen stadiwm
- Y gêm ryngwladol gyntaf i'w chwarae ar y Sul yng Nghymru
- Dyma'r tro cyntaf i Ffrainc sgorio 50 pwynt yn erbyn Cymru
- Y tro cyntaf i ddynes ddyfarnu gêm rygbi ryngwladol

2 ARIAN

Pa arian a ddefnyddir yn y gwledydd canlynol?

13 Ciwba

14 Yr Aifft

15 Norwy

16 Ariannin

17 Israel

18 Siapan

19 Canada

20 Pacistan

21 Yr Almaen

22 Y Swistir

23 Brasil

24 Rwsia

3 GWIR NEU GAU?

25 Fe grëwyd y cymeriad 'Superman' gan Bob Kane, a anwyd yng Nghymru.

26 Mae lle o'r enw Bishop's Bottom yn Swydd Efrog.

27 Bu H. M. Stanley yn Llywodraethwr Singapore o 1862 i 1869.

28 Jac y Jwc yw enw'r aderyn yn straeon Sali Mali.

29 Mae tref o'r enw Batman yn Nhwrci.

30 'Yr Offeiriad Coch' oedd glasenw'r cyfansoddwr Vivaldi.

31 Ar un adeg, roedd Helen Sharman, y Brydeinwraig gyntaf i fynd i'r gofod, yn gweithio i gwmni Mars.

32 Fe ymddangosodd yr Arlywydd Clinton yn y rhifyn olaf erioed o'r gyfres gomedi 'Cheers'.

33 Mae milwyr Paragwâi yn gorfod tyngu llw i ymladd yn erbyn Sbaen hyd farwolaeth.

34 Fe enwyd y pêl-droediwr Ryan Giggs ar ôl y digrifwr Ryan Davies.

35 Mae mynydd o'r enw Gorsedd y Cwmwl yng Ngogledd Cymru.

36 Mae Margaret Thatcher yn fam i efeilliaid.

4 ENWAU LLEOEDD

Beth yw enwau Cymraeg y llefydd canlynol?

37 Lebanon

38 Newport (Sir Benfro)

39 Newport (Sir Fynwy)

40 Shrewsbury

41 Milford Haven

42 Thames

43 Devil's Bridge

44 Withybush Hospital

45 Dublin

46 Builth Wells

47 Somerset

48 Leicester

5 AMLDDEWIS

49 Gwerthwyd paced o fagiau te ym Mhrydain yn ystod haf 1978. Beth oedd yn arbennig am y gwerthiant hwn?

- Y tro cyntaf i fagiau te crwn gael eu gwerthu
- Y tro cyntaf i gerdyn credyd gael ei ddefnyddio mewn archfarchnad
- Y tro cyntaf i gôd bar (*barcode*) gael ei ddefnyddio mewn siop ym Mhrydain
- Y tro cyntaf i de o Seland Newydd gael ei werthu ym Mhrydain
- Y tro olaf i'r hen ddarn chwe cheiniog gael ei ddefnyddio ym Mhrydain

50 Pa long a gychwynnodd daith enwog ar Fedi'r 16eg, 1620?

- Y *Mayflower*
- Y *Titanic*
- Y *Mimosa*
- Y *Brig Credo*
- Y *Lusitania*

51 Pryd cafodd y rhif ffôn 999 ei ddefnyddio gyntaf ym Mhrydain?

- 1919
- 1928
- 1937
- 1940
- 1946

52 P'un o'r rhain sydd fwyaf i'r Dwyrain?

- Cei Conna
- Wrecsam
- Croesoswallt
- Trefaldwyn
- Abertyleri

53 Pwy yw nawddsant y bancwyr?

- Mathew
- Jiwdas
- Tomos
- Pedr
- Marc

54 Dychmygol yw un o'r llefydd canlynol yn America. Pa un?

- Boring, Maryland
- Ding Dong, Texas
- Dismal, Tennessee
- Eek, Alaska
- Thrilling, California

55 Yn y Fyddin, p'un o'r rhain yw'r rheng uchaf?

- Is-gadfridog (*Lieutenant-general*)
- Brigadydd (*Brigadier*)
- Uwchgapten (*Major*)
- Cyrnol (*Colonel*)
- Uwchfrigadydd (*Major-general*)

56 Beth yw *motto* Cymdeithas Bêl-droed Cymru?

- 'Fe Ddaw Ein Dydd'
- 'Gorau Chwarae, Cyd-chwarae'
- 'Nid Ennill Yw Popeth'
- *Per Ardua Ad Astra*
- 'Gorau Chwarae, Chwarae Teg'

57 Pam y gelwir Wyoming yn 'Equality State'?

- Hon oedd talaith gyntaf yr Unol Daleithiau i roi pleidlais i wragedd
- Y gyntaf i ryddhau caethweision
- Y gyntaf i roi pleidlais i Indiaid Cochion
- Y gyntaf i roi pleidlais i bobl dduon
- Yno y ganed Abraham Lincoln

58 Ar Dachwedd 29ain 1998, bu farw Martin Ruane. O dan ba enw y mae'n fwyaf adnabyddus?

- Isiah Berlin
- John Denver
- Giant Haystacks
- Roddy McDowall
- Frank Sinatra

59 Pa enw a roddir ar botel o win maint pedair potel gyffredin?

- Jeroboam
- Quad
- Methuselah
- Magnum
- Balthasar

60 Ym mhle y cododd y ddaear dan draed Dewi Sant?

- Ystrad Fflur
- Tyddewi
- Llanilltyd Fawr
- Llanbadarn Fawr
- Llanddewi Brefi

6 GWYDDONIAETH

61 Sawl gradd Fahrenheit yw 10 gradd Canradd?

62 Pa blaned yw'r agosaf at yr haul?

63 Sawl kilogram sydd mewn 20 pwys?

64 Pa blaned sydd â 'smotyn coch' arni?

65 Mathau o beth yw *cumulus, nimbostratus* a *stratocumulus*?

66 Beth yw'r term Cymraeg am y metel *mercury*?

67 Beth a ddyfeisiwyd gan Elisha G. Otis yn 1852?

68 Os yw'r ffwrn neu'r popty ar Farc Nwy 5, faint yw'r tymheredd o'i mewn?

69 Pa elfen sydd â'r symbol 'cu'?

70 Ym mha ran o'r corff y mae'r *tibia*?

71 Mewn cyfeiriadau ar y we, beth mae'r llythrennau 'http' yn ei gynrychioli?

72 Ar ba ran o'r corff mae *glaucoma* yn effeithio?

7 LLENYDDIAETH

73 Beth oedd enw llawn y bardd Ceiriog?

74 I ble y dywedodd Cynan yr hoffai ymddeol – 'Pan fwyf yn hen a pharchus'?

75 Pwy oedd awdur *Lord of the Flies*?

76 Pwy oedd awdur y llyfrau am Noddy?

77 Teitl hunangofiant pwy yw *Cae Marged*?

78 Beth oedd enw cyntaf Dr Watson yn storïau Sherlock Holmes?

79 Enillodd Kingsley Amis Wobr Booker yn 1986 am nofel wedi ei lleoli yng Nghymru. Beth oedd teitl y nofel?

80 Nofel gyntaf pwy oedd *Burmese Days*?

81 Pwy ysgrifennodd am fferm Lleifior?

82 Ym mha un o nofelau Charles Dickens y mae'r athro Wackford Squeers o Dotheboys Hall?

83 Pwy ysgrifennodd am Doctor Jekyll a Mr Hyde?

84 Pa awdur, a gafodd gyfran o'i addysg ffurfiol yn Harlech, a ysgrifennodd trioleg *His Dark Materials*?

8 AMLDDEWIS

85 Beth yw Kosciusko?

- Y mynydd uchaf yn Awstralia
- Llyn yn Rwsia
- Bwyd o Wlad Groeg
- Neidr
- Talaith yn Albania

86 Beth yw enw mwyaf cyfarwydd Julius Marx?

- Adolf Hitler
- Karl Marx
- Groucho Marx
- Albert Einstein
- Big Daddy

87 Ofn beth sydd ar rywun sy'n dioddef o *pantophobia*?

- Theatrau
- Dillad isaf
- Cŵn
- Plant
- Popeth

88 Pwy oedd Lambert Simnel?

- Dyn a roddodd ei enw i gacen
- Hanesydd o'r Alban
- Y dyn gwyn cyntaf i weld y Môr Tawel
- Dyn a oedd yn honni ei fod yn un o'r 'Princes in the Tower'
- Y peiriannydd cyntaf i ddechrau twnnel dan y Sianel yn 1822

89 P'un o'r rhain yw'r mwyaf gorllewinol?

- Cydweli
- Porthmadog
- Amlwch
- Llanfair Pwllgwyngyll
- Beddgelert

90 Pryd y darlledwyd 'Pobol y Cwm' gyntaf?

- 1972
- 1974
- 1978
- 1980
- 1982

91 Pa ddwy wlad a ymladdodd 'Rhyfel Clust Jenkins' neu 'The War of Jenkins's Ear'?

- Prydain a Sbaen
- Ffrainc a'r Unol Daleithiau
- Prydain a'r Unol Daleithiau
- Sbaen a'r Unol Daleithiau
- Prydain a'r Iseldiroedd?

92 Pa le yw'r mwyaf deheuol ar dir mawr Prydain?

- Land's End
- John O'Groats
- Dunnet Head
- Lizard Point
- Gwennap Head

93 P'un o'r rhain sydd fwyaf i'r de?

- Llanelli
- Merthyr Tudful
- Hwlffordd
- Glynebwy
- Rhydaman

94 Beth sy'n gwneud Eugene Cernan yn arbennig? Ef oedd:

- peilot yr awyren a ollyngodd y bom atomig ar Hiroshima
- y dyn diwethaf i gerdded ar y lleuad yn yr ugeinfed ganrif
- yr un a ddyfeisiodd y sglodyn silicon
- Mr Universe o 1999 i 2003
- yr un sy'n dal y record am nofio'r Sianel

95 Beth oedd enw cartref Elvis Presley?

- Heartbreak Hotel
- Neverland
- Presley Castle
- Graceland
- Preseli

96 P'un o'r rhain a gafodd ei eni olaf?

- Stalin
- Franco
- Hitler
- Mao Tse-Tung
- Mussolini

9 GWIR NEU GAU?

97 Honshu yw enw teuluol Ymerawdwr Siapan.

98 Francis Hilary Browne yw enw gwreiddiol y bocsiwr Frank Bruno.

99 Hyd at 1991, roedd hawl gan wŷr Portiwgal i guro'u gwragedd ar y Sul.

100 Mae eglwys o fewn maes pêl-droed Everton.

101 Fe chwaraeodd Dick Krzyswicki a Ray Mielczarec i dîm pêl-droed Cymru yn erbyn y Ffindir yn 1971.

102 Mae milwyr Bolifia yn gorfod tyngu llw i adennill tiroedd a gollwyd i Chile yn 1884.

103 Nid oes gan Costa Rica luoedd arfog.

104 Fe etholwyd cath o'r enw Simba yn Llywydd Undeb Myfyrwyr Coleg Prifysgol Cymru Caerdydd yn 1978.

105 Yn ystod tymor pêl-droed 1993/94, fe chwaraeodd Holmes a Watson i Everton.

106 Gŵr o'r enw Captain Clarence Birdseye oedd y cyntaf i fasnachu bwyd wedi ei rewi.

107 Ar un adeg, bu John Major yn is-olygydd y *Church Times*.

108 Mae swyddogion llywodraeth Hawaii yn gorfod tyngu llw o ffyddlondeb i Elizabeth II, er bod y wlad yn perthyn i'r Unol Daleithiau.

10 GWLEIDYDDIAETH

109 Pa unben Ewropeaidd a gafodd ei ddienyddio ar ddydd Nadolig 1989?

110 Pwy oedd Ymerawdwr Siapan yn 2004?

111 Pa Arlywydd Americanaidd a dderbyniodd y nifer fwyaf erioed o bleidleisiau mewn etholiad yn yr ugeinfed ganrif?

112 Ym mha flwydddyn y bu'r Cadfridog Franco o Sbaen farw?

113 Ar ba wlad yn Asia y bu Kim Il Sung yn unben?

114 Pa wlad Ewropeaidd a ymunodd â NATO yn 1982?

115 Ym mha wlad y mae plaid wleidyddol o'r enw Likud?

116 Hyd at 2004, pa Arlywydd Americanaidd oedd yr ieuengaf erioed?

117 Gofynnwyd i Fidel Castro yn 1991 pwy oedd prif gyfaill Ciwba ymhlith gwledydd y byd. Beth oedd ateb Castro?

118 Pa wlad oedd y gyntaf i ganiatáu i wragedd bleidleisio?

119 Pa arglwydd a garcharwyd yn 2001, am dyngu anudon (*perjury*) ac am wyro cwrs cyfiawnder?

120 Prif Weinidog pa wladwriaeth oedd Lee Kuan Yew?

11 CHWARAEON

121 Pa focsiwr o Gaerdydd a enillodd Bencampwriaeth Pwysau Plu y WBO yn 1993?

122 Sawl chwaraewr sydd mewn tîm hoci iâ?

123 Pencampwyr ym mha faes oedd Emanuel Lasker, Anatoly Karpov a Bobby Fischer?

124 Ar ba gwrs rasio y cynhelir y Derby?

125 Sgoriwyd y gôl gyflymaf erioed i Gymru ym mis Mawrth 2002. Pwy oedd gwrthwynebwyr Cymru y diwrnod hwnnw?

126 Ym mha faes y mae Eric Bristow yn adnabyddus?

127 Pwy oedd noddwyr cyntaf Cynghrair Bêl-droed Genedlaethol Cymru?

128 Hyd at 2004, pwy oedd yr ieuengaf i fod yn Bencampwr Bocsio Pwysau Trwm y Byd?

129 Ym mha ddinas y mae'r *Forty-niners* yn chwarae pêl-droed Americanaidd?

130 Ar ba gwrs y cynhelir Grand National Cymru?

131 Pa Gymro a enillodd fedal aur yng Ngêmau Olympaidd 1964?

132 Yn 2004, pwy enillodd y Tour de France am y chweched tro yn olynol?

12 TRIAWDAU

133 Ym mha flwyddyn yn yr ugeinfed ganrif y bu tri Phab?

134 Enwch ddau aelod o Driawd y Coleg.

135 Beth oedd enwau tri mab Noa?

136 Ym mha flwyddyn yr enillodd Manchester United y *treble*, sef Cwpan yr FA, Pencampwriaeth yr Uwch Gynghrair, a Chwpan Ewrop?

137 Ym mha flwyddyn yn yr ugeinfed ganrif y bu tri brenin ar orsedd Prydain Fawr?

138 Symbol pa ynys yw tair coes?

139 Yn ôl y Beibl, beth oedd enwau'r tri gŵr doeth?

140 Beth yw tri addewid Urdd Gobaith Cymru?

141 Pwy oedd trydydd Arlywydd yr Unol Daleithiau?

142 Yn 2004, dewiswyd Aneurin Bevan fel yr arwr mwyaf yn hanes Cymru. Pwy ddaeth yn drydydd?

143 Pwy oedd trydydd mab Adda ac Efa?

144 Beth oedd enwau'r Tri Mysgedwr (*Three Musketeers*)?

13 HANES

145 Pwy oedd pennaeth lluoedd yr Unol Daleithiau yn Rhyfel cyntaf y Gwlff yn 1990-91?

146 Pa ddinasoedd oedd yn ymladd ei gilydd yn y rhyfeloedd Pwnig?

147 Pwy oedd Ymerawdwr olaf Rwsia?

148 Pwy olynodd Richard Nixon fel Arlywydd yr Unol Daleithiau?

149 Byddinoedd pwy oedd yn ymladd brwydr Marathon yn 490 CC?

150 Pwy oedd y Prif Weinidog Prydain yn 1939?

151 Pa Ymerawdwr Rhufeinig a goncrodd Prydain yn OC 43?

152 Pwy olynodd y Frenhines Victoria ar orsedd Prydain Fawr?

153 Ar pa ddinas yn Siapan y gollyngwyd yr ail fom atomig yn 1945?

154 Ym mha ganrif yr adeiladwyd Clawdd Offa?

155 Pwy oedd Ymerawdwr Rhufain pan aned Iesu Grist?

156 Yn ystod teyrnasiad pa frenin y bu cynllwyn Guto Ffowc?

14 AMLDDEWIS

157 Pa ffordd sy'n mynd trwy ganol tref y Bala?
- A494
- A5
- A487
- A470
- A458

158 P'un o'r rhain nad oedd yn gwis ar S4C?
- 'Pawb yn ei Fro'
- 'Cerdyn Post'
- 'Gorau Arf'
- 'Jacpot'
- 'Monopoly'

159 Ym mha wlad y mae Chernobyl?
- Wcráin
- Rwsia
- Belarws
- Estonia
- Lithwania

160 Ganed B. M. Roberts yn 1959, ac fe gafodd ysgariad yn 2004. Beth yw ei henw mwy adnabyddus?
- Ann Clwyd
- Kylie Minogue
- Barbie Doll
- Julia Roberts
- Marge Simpson

161 P'un o'r rhain sydd fwyaf i'r gogledd?

- Warsaw
- Dulyn
- Stoke-on-Trent
- Brwsel
- Corwen

162 P'un o'r rhain yw'r rheng uchaf yn y Llynges?

- Is-lyngesydd (*Vice-admiral*)
- Comodôr (*Commodore*)
- Ol-lyngesydd (*Rear-admiral*)
- Comander (*Commander*)
- Capten (*Captain*)

163 Ym mha ddinas yr oedd y gomedi 'Cheers' wedi ei lleoli?

- Chicago
- Efrog Newydd
- Boston
- Los Angeles
- Denver

164 Sawl lleuad sydd gan y blaned Gwener (*Venus*)?

- Tair
- Dwy
- Un
- Chwech
- Dim un

165 Beth yw enw cyntaf y golffiwr Tiger Woods?

- Seymour
- Homer
- Eldrick
- Tarquin
- Tiger

166 Ym mha dref yng Nghymru y mae cerflun i'r Brenin Edward VIII?

- Aberystwyth
- Caerfyrddin
- Llandudno
- Llanelli
- Wrecsam

167 Ym mha dref y mae'r gyfres deledu 'Rownd a Rownd' wedi ei lleoli?

- Bangor
- Biwmaris
- Caernarfon
- Porthaethwy
- Porthmadog

168 Yn 1971, agorodd y siop goffi Starbucks gyntaf erioed. Ym mha ddinas?

- Efrog Newydd
- Toronto
- Seattle
- Los Angeles
- San Francisco

15 CREFYDD

169 Pwy yw awdur yr ail Efengyl yn y Testament Newydd?

170 Pwy oedd y merthyr Cristnogol cyntaf?

171 Beth yw'r brif grefydd ym Mhacistan?

172 Pwy dorrodd wallt Samson?

173 Ym mha fis y mae'r Ystwyll?

174 Pa sect neu grefydd sy'n gysylltiedig â Brigham Young a Joseph Smith?

175 Pa Salm yw 'Y Salm Fawr'?

176 Pwy yw nawddsant meddygon?

177 P'un yw'r llyfr olaf yn y Beibl?

178 Beth oedd gwyrth gyntaf Iesu?

179 Sawl archesgob sydd yn Eglwys Loegr?

180 Mae dau lyfr yn y Beibl wedi eu henwi ar ôl gwragedd. Enwch un ohonynt.

16 CYFRYNGAU

181 Ym mha flwyddyn y cychwynnodd Radio Ceredigion ddarlledu?

182 Enwch y ddau bentref dychmygol sy'n agos i Gwmderi yn 'Pobol y Cwm'.

183 Pwy fu'n teithio yn y Tardis?

184 Pa un o ffilmiau James Bond oedd y gyntaf?

185 Pa opera sebon Gymraeg oedd y gyntaf i gael ei dangos ar S4C?

186 Pa wasg Gymraeg a ddathlodd ei phen-blwydd yn gant yn 1992?

187 Beth oedd enw Capten y llong ofod *Enterprise* yn y rhaglen 'Star Trek'?

188 Ym mha ddinas y lleolir 'Neighbours'?

189 Pryd dechreuodd S4C ddarlledu?

190 Pa gymeriad o'r comics a fu farw'n ymladd yn erbyn Doomsday?

191 Ym mha flwyddyn y darlledwyd 'Coronation Street' gyntaf?

192 Ym mha fwrdeistref ddychmygol yn Llundain y mae Albert Square yn 'Eastenders'?

17 CYFFREDINOL

193 Yn y system Rufeinig, pa rif a gynrychiolir gan y llythyren 'D'?

194 Llun pa ganwr a roddwyd ar stamp yn America yn 1992?

195 Pa farchog a daflodd Caledfwlch, cleddyf y Brenin Arthur, i'r dŵr?

196 Ym mha ddau fis o'r flwyddyn y mae clociau'n newid?

197 Pa wobr sydd wedi ei hennill gan Ulrika Jonsson, Felicity Kendall, Charlotte Church, Sarah Lancashire, Anneka Rice ac Anita Dobson?

198 Pa arian a ddefnyddiwyd yng Ngwlad Groeg cyn dyddiau'r Ewro?

199 Beth yw hoff fwyd Desperate Dan?

200 Pam y mae Robert Pershing Wadlow yn adnabyddus?

201 Beth yw'r eiddo drutaf ar fwrdd Monopoly cyffredin?

202 Ym mhle mae Prifysgol John Moores?

203 Bu J. Edgar Hoover yn bennaeth ar y sefydliad Americanaidd hwn o 1924 tan iddo farw yn 1972. Pa sefydliad?

Sawl seren sydd ar faner Seland Newydd?

18 BWYD A DIOD

205 O ba wlad y daw caws Edam?

206 Os yw pryd yn cael ei fwyta'n *al fresco*, beth mae hynny'n ei olygu?

207 Bwyd o ba wlad yw *sushi*?

208 Pa fath o orenau sy'n cael eu defnyddio i wneud marmalêd?

209 P'un o'r canlynol sydd â'r mwyaf o galorïau mewn 4 owns ohono?
- Cig oen rhost
- Twrci rhost
- Cyw iâr rhost
- Cig eidion rhost

210 Beth a olygir wrth baratoi bwyd 'Florentine'?

211 O ba wlad y daw *paella*?

212 Faint o galorïau sydd mewn cwpaned o de, heb laeth na siwgwr?

213 Beth yw *firkin*?

214 O ba wlad y daw *chappati*?

215 Pa bwdin sy'n cael ei fwyta gyda chig eidion?

216 Pa wlad a gysylltir yn bennaf â *smorgasbord*?

19 YR UNDEB EWROPEAIDD

217 Pa wlad a ymunodd â'r Gymuned Ewropeaidd yn 1981?

218 Ym mha flwyddyn yr ymunodd Prydain â'r Gymuned Ewropeaidd?

219 Pa ddwy wlad a ymunodd yr un pryd â Phrydain?

220 Pa wlad a wrthododd ymuno â'r Undeb Ewropeaidd mewn refferendwm yn 1994?

221 Ym mha flwyddyn y sefydlwyd y Farchnad Gyffredin, rhagflaenydd yr Undeb Ewropeaidd?

222 Beth oedd enw'r cytundeb a sefydlodd y Farchnad Gyffredin?

223 Enwch un o'r ddwy wlad a ymunodd yn 1984.

224 Enwch ddwy o'r tair gwlad a ymunodd yn 1995.

225 Yn 2004, ymunodd dwy o Ynysoedd Môr y Canoldir â'r Undeb. Pa ddwy ynys?

226 Pa un o wledydd yr Undeb Ewropeaidd yw'r fwyaf gogleddol?

227 Ym mha flwyddyn y cynhaliwyd refferendwm ym Mhrydain ynghylch aelodaeth o'r Farchnad Gyffredin?

228 Pwy wnaeth ddefnyddio *veto* ddwywaith i rwystro Prydain rhag ymuno â'r Farchnad Gyffredin?

20 AMLDDEWIS

229 Pa frwydr enwog a ymladdwyd yn 1415?
- Agincourt
- Bosworth
- Crecy
- Waterloo
- Hastings

230 Ym mha flwyddyn y cyflwynwyd y prawf gyrru ym Mhrydain?
- 1927
- 1930
- 1933
- 1935
- 1938

231 Pa dref yng Ngwynedd sydd â'r côd post yn dechrau LL36?
- Blaenau Ffestiniog
- Dolgellau
- Nefyn
- Pwllheli
- Tywyn

232 Ym mha ddinas yr oedd y gyfres gomedi 'Frasier' wedi ei lleoli?
- Colorado Springs
- Las Vegas
- Salt Lake City
- Seattle
- Washington

233 Pa fardd a ysgrifennodd y bryddest 'Egni'?

- Steve Davis
- Damien Walford Davies
- Elgan Philip Davies
- Jason Walford Davies
- Bryan Martin Davies

234 Pa awdur adnabyddus a fu'n Llywodraethwr Cyffredinol Canada?

- Richard Hughes
- Sir Arthur Conan Doyle
- E. M. Forster
- Rudyard Kipling
- John Buchan

235 Pryd sefydlwyd y Groes Goch?

- 1854
- 1864
- 1874
- 1916
- 1925

236 Ofn beth yw *sitophobia*?

- Eistedd
- Bwyd
- Arian
- Gwaith
- Mynd i'r gwely

237 Pwy ysgrifennodd y nofel *William Jones*?

- Kate Roberts
- Mihangel Morgan
- Islwyn Ffowc Elis
- T. Rowland Hughes
- Daniel Owen

238 Pwy oedd y person cyntaf i ennill miliwn o bunnau ar 'Who Wants To Be A Millionaire'?

- Tecwyn Whittock
- Fred Housego
- Judith Keppel
- Charles Ingram
- Michelle Simmonds

239 P'un o daleithiau'r Unol Daleithiau a fu unwaith yn wlad annibynnol?

- Califfornia
- Colorado
- Fflorida
- Maine
- Tecsas

240 Pa ddinas yn yr Unol Daleithiau a ddisgrifir fel 'The Big Easy'?

- New Orleans
- San Diego
- Atlantic City
- Grand Rapids
- Las Vegas

21 GWIR NEU GAU?

241 Yn 1995, gwnaed darn deg doler Liberia yn dangos dau gapten y llong ofod *Enterprise* o'r gyfres deledu 'StarTrek'.

242 Ni wnaeth y Frenhines Elizabeth I erioed ymweld â Chymru.

243 Brenhiniaeth yw Norwy.

244 Lladdwyd mwy o bobol mewn damweiniau ar y ffyrdd ym Mhrydain yn 1965 nag yn 1998.

245 Chwaraeodd Ronald Reagan ran Arlywydd yr Unol Daleithiau mewn ffilm o'r enw *The Outsider* yn 1938.

246 Roedd Nicholas Edwards, Ysgrifennydd Cymru o 1979 hyd 1987, yn ŵyr i Archesgob cyntaf Cymru.

247 Mae Elizabeth II yn hŷn na Margaret Thatcher.

248 Mae cyfraith yn Fairbanks, Alaska, sy'n gwahardd pobl rhag cadw cathod yn eu cartrefi.

249 Ni ddywedodd Sherlock Holmes yr ymadrodd *'Elementary, my dear Watson'* erioed.

250 Cymro oedd Judge Jeffreys.

251 Mae Catherine Zeta Jones a'i gŵr, Michael Douglas, yn rhannu'r un diwrnod pen-blwydd.

252 Ar un adeg, bu brawd Ryan Giggs yn chwarae pêl-droed i ddinas Bangor.

22 ENWAU LLEOEDD

Beth yw'r enwau Saesneg ar y llefydd canlynol?

253 Cilgwri

254 Y Gelli Gandryll

255 Porthaethwy

256 Llanelwy

257 Llychlyn

258 Brynbuga

259 Aberpennar

260 Llanilltyd Fawr

261 Caerliwelydd

262 Cas-gwent

263 Dinbych-y-pysgod

264 Llanandras

23 CERDDORIAETH

265 Mewn cerddoriaeth, beth mae'r term *lento* yn ei olygu?

266 Beth oedd teitl cân gyntaf y Spice Girls i gyrraedd Rhif 1 yn y siartiau?

267 Pwy gyfansoddodd yr 'Overture to William Tell'?

268 Ym mha wlad y ganed Luciano Pavarotti?

269 Pa gân adnabyddus a gyfansoddwyd gan Daniel Jones (Gwyrosydd)?

270 Ym mha ganrif yr oedd Wolfgang Amadeus Mozart yn byw?

271 Pwy gyfansoddodd y dôn 'Aberystwyth'?

272 Pa grŵp Cymraeg a gyhoeddodd eu casét *Dal i Ganu, Dal i Fynd* yn 1992, 35 mlynedd ar ôl iddynt gychwyn?

273 Pwy gyfansoddodd y dôn i 'Hen Wlad Fy Nhadau'?

274 Brodor o ba wlad oedd y cyfansoddwr Sibelius?

275 Beth oedd teitl y gân Gymraeg a gyfansoddwyd i godi arian i ddioddefwyr yn Ethiopia yn y 1980au?

276 Pa gantores, a aned yn Chattanooga, a elwid yn 'The Empress of the Blues'?

24 CHWARAEON

277 Pa focsiwr a ailenillodd Bencampwriaeth Pwysau Trwm y Byd yn 1994, ugain mlynedd ar ôl iddo golli yn erbyn Muhammed Ali?

278 Sawl aelod sydd mewn tîm hoci?

279 Pa joci o Aberteifi a enillodd y Grand National ar Last Suspect yn 1985?

280 Pa ddwy wlad sy'n chwarae am Gwpan Calcutta?

281 Pwy yw'r chwaraewr ieuengaf erioed i sgorio i dîm pêl-droed Lloegr?

282 Faint o bwyntiau yw gwerth cais yn rygbi'r undeb?

283 Pwy enillodd saith medal aur am nofio yng Ngêmau Olympaidd 1972?

284 Os yw bocsiwr yn *southpaw*, beth mae hynny'n ei olygu?

285 Ym mha wlad y cynhaliwyd Cwpan Rygbi'r Byd yn 2003?

286 Beth yw hyd maes criced o un wiced i'r llall?

287 Sawl aelod sydd mewn tîm pêl fasged?

288 Beth yw maint traed Ian Thorpe, y pencampwr nofio o Awstralia?

25 LLENYDDIAETH

289 Pwy oedd awdur y llyfr dadleuol *My People*?

290 Ar ba dref y dymunai John Betjeman weld bomiau yn cwympo?

291 Pwy oedd awdur *Robinson Crusoe*?

292 Pwy oedd awdur y gerdd 'Mewn Dau Gae'?

293 Pwy ysgrifennodd *Bitsh!*, a enillodd Wobr Goffa Daniel Owen yn 2002?

294 Pwy yw awdur *Chocolat*, cyfrol a wnaed yn ffilm lwyddiannus?

295 Pwy yw awdur y llyfrau am Brother Cadfael?

296 Ym mha lyfr gan Charles Dickens y mae Fagin a'r Artful Dodger yn ymddangos?

297 Pa awdur a greodd y cymeriad Wil Bryan?

298 Pwy yw awdur y llyfrau am Inspector Morse?

299 Pa fath o lyfrau sy'n derbyn gwobrau Tir na n-Og?

300 Mae un drama o waith Shakespeare yr ystyrir ei bod yn anlwcus ei henwi mewn theatr. Pa ddrama?

26 AMLDDEWIS

301 Mae dau gerflun o Tom Ellis A.S. Mae un yn Stryd Fawr y Bala. Ble mae'r llall?
- Y Maes, Caernarfon
- Canolfan Ddinesig Caerdydd
- Tŷ'r Cyffredin, Llundain
- Coleg Prifysgol Cymru, Aberystwyth
- Ochr Cymru o Bont Hafren

302 Ym mha flwyddyn yr ychwanegwyd y prawf theori i'r prawf gyrru ym Mhrydain?
- 1975
- 1995
- 1996
- 1999
- 2000

303 O dan ba enw yr oedd yr Americanwr Samuel Langhorne Clemens yn ysgrifennu?
- Ernest Hemingway
- Mark Twain
- J. D. Salinger
- Saul Bellow
- Henry James

304 Pa draffordd sy'n cysylltu Caeredin a Glasgow?
- M6
- M8
- M12
- M74
- M90

305 Am beth mae Junko Tobei yn enwog? Hi oedd:

- y ddynes gyntaf i fod yn Aelod Seneddol yn Ne Corea
- y ddynes gyntaf i ddringo Everest
- y ddynes gyntaf i ennill Gwobr Heddwch Nobel
- hi sy'n dal record y byd am redeg can metr
- gwraig Ymerawdwr Siapan

306 Am beth mae'r Americanes Elizabeth Ann Seton yn enwog? Hi oedd:

- sefydlydd y 'Daughters of the American Revolution'
- y ddynes gyntaf i gael ei hethol i'r Gyngres
- yr Americanes gyntaf i fynd i'r gofod
- yr Americanes gyntaf i'w gwneud yn Santes gan yr Eglwys Gatholig
- y ddynes gyntaf i fod yn llysgennad yr Unol Daleithiau

307 Ym mha wlad mae Romansch yn iaith swyddogol?

- Aserbaijan
- Sbaen
- Lwcsembwrg
- Y Swistir
- Romania

308 Beth yw teitl Anthem Genedlaethol Awstralia?

- 'God Save the Queen'
- 'Waltzing Matilda'
- 'Advance Australia Fair'
- 'God Defend Australia'
- 'Australia 'Tis of Thee'

9 Bu Clint Eastwood yn Faer ar y dref hon o 1986 hyd 1988. Pa dref?

- Sacramento
- Carmel
- Palm Springs
- Eureka
- San Diego

0 Pryd argraffodd Banc Lloegr y papur punt cyntaf?

- 1797
- 1804
- 1819
- 1833
- 1840

1 Fe enillodd Awstralia o 31 gôl i ddim mewn gêm bêl-droed ryngwladol yn 2001. Pwy oedd eu gwrthwynebwyr?

- Ynys Pitcairn

27 DAEARYDDIAETH

313 Pa ddinas yw prifddinas Gwlad yr Iâ?

314 Sawl talaith sydd yn yr Unol Daleithiau?

315 Pa wlad yw'r leiaf yn y byd?

316 Pa wlad sydd wedi ei hamgylchynu gan Dde Affrica?

317 Pa ganran o wyneb y ddaear sydd dan ddŵr?

318 Ym mha ddinas y mae'r Parthenon?

319 Prifddinas pa wlad yw Kabul?

320 Ym mha wlad y mae dinas Hanoi?

321 Beth oedd enw blaenorol Simbabwe?

322 Pa afon yw'r hiraf yn Ewrop?

323 Pa un o wledydd y Cenhedloedd Unedig yw'r olaf yn nhrefn yr wyddor Saesneg?

324 Pa ddinas yw'r fwyaf poblog yn Affrica?

325 Ym mha flwyddyn y cychwynnodd Lotri Genedlaethol Prydain?

326 Ym mha flwyddyn y daeth arian degol i Brydain?

327 Pa ben-blwydd priodas yw'r ugeinfed?

328 Beth yw ystyr yr acronym *QUANGO*?

329 Beth yw llythyren gyntaf yr wyddor Roeg?

330 Pa ddwy wlad a gydweithiodd i adeiladu Concorde?

331 Beth yw'r enw yn Ariannin am gowboi?

332 Pa bensaer enwog, o dras Cymreig, a gynlluniodd Amgueddfa Guggenheim yn Efrog Newydd?

333 I ba wlad Ewropeaidd yr oedd Angola a Mozambique yn perthyn ar un adeg?

334 Pa lyfrgell yw'r fwyaf yn y byd?

335 Pa bêl-droediwr rhyngwladol o Gymro a gafodd ei garcharu yn y 1990au am ddosbarthu arian ffug?

336 Adroddiad pwy a arweiniodd at gau nifer fawr o linellau rheilffordd ym Mhrydain yn y 1960au?

29 CHWARAEON

337 Ym mha flwyddyn yn yr 1990au y methwyd cwblhau y Grand National?

338 Pa beth annisgwyl a ddigwyddodd yn yr ornest focsio am Bencampwriaeth Pwysau Trwm y Byd rhwng Evander Holyfield a Riddick Bowe yn 1993?

339 Fe sgoriodd Escobar o Golombia *own goal* yn erbyn yr Unol Daleithiau yng Nghwpan y Byd 1994. Beth oedd y canlyniad erchyll i hyn?

340 Pa rwyfwr a enillodd fedal aur mewn pum Gêmau Olympaidd yn olynol?

341 Pa gêm y mae'r Atlanta Braves yn ei chwarae?

342 Pa gêm y mae'r New York Giants yn ei chwarae?

343 Pa joci enillodd saith ras ar yr un diwrnod yn Ascot yn 1996?

344 Ym mha gamp y bu Wayne Gretzky yn rhagori?

345 Ym mha gamp y gellir ennill Gwregys Londsdale?

346 Ym mha gamp y bu Prydain a'r Unol Daleithiau yn cystadlu am Gwpan Wightman?

347 Ym mha gamp y bydd cystadlu am Gwpan Davis?

348 Ym mha gamp y bydd cystadlu am Gwpan Aur Cheltenham?

30 AMLDDEWIS

349 Ym mha ddinas y mae Maes Awyr John Wayne?
- Denver
- Dodge City
- Cheyenne
- Los Angeles
- Ddim yn unlle

350 Pwy oedd Kiki Haakonson?
- Y ferch gyntaf i nofio'r Sianel
- Tywysoges olaf Moldova
- Y wraig groenddu gyntaf i gyrraedd rhif un yn siartiau pop Prydain
- Y ddynes gyntaf i fod yn Brif Weinidog y Ffindir
- Y Miss World gyntaf

351 Beth oedd enw bedydd gwreiddiol Oliver Hardy?
- Adolf
- Norvell
- Stanley
- Tarquin
- Wilbur

352 Beth oedd enw'r Aelod Seneddol Eidalaidd oedd yn ŵyr neu'n wyres i unben enwog?
- Edda Mussolini
- Paulo Hitler
- Umberto Stalin
- Ugo Initi
- Alessandra Mussolini

353 Beth sy'n hynod am Vivian Frederick Teed?

- Y dyn diwethaf i gael ei grogi yng Nghymru
- Y Cymro diwethaf i ennill medal V.C.
- Capten cyntaf tîm rygbi Cymru
- Y Ceidwadwr diwethaf i gynrychioli Merthyr Tudful yn y Senedd
- Cynghorydd diwethaf yr SDP yng Nghymru

354 Pwy ddywedodd 'Ni all neb fy nymchwel i. Mae gennyf gefnogaeth byddin o 700,000, yr holl weithwyr, a'r mwyafrif o'r bobol.'

- Shah Iran
- Erich Honecker o Ddwyrain yr Almaen
- Ferdinand Marcos o'r Philipines
- Idi Amin o Uganda
- Rhodri Morgan

355 Pwy ddywedodd am Margaret Thatcher, 'I ni, nid y Wraig Haearn yw hi. Hi yw Mrs Thatcher annwyl, garedig, i ni.'

- Yr Arlywydd Reagan
- Y Fam Theresa
- Mikail Gorbachev
- Alexander Dubcek
- Edward Heath

356 Pryd rhedwyd y Grand National gyntaf?

- 1839
- 1865
- 1888
- 1893
- 1913

357 Defnyddiwyd hwn mewn ysgol am y tro cyntaf yn 1814. Beth?

- *Welsh Not*
- Bwrdd du
- Inc
- Cansen
- Gwisg ysgol

358 Beth oedd enw iawn Ivor Novello?

- David Emmanuel
- Ceri Richards
- William Roberts
- David Ivor Davies
- Ivor Nash

359 P'un o'r rhain sydd fwyaf i'r de?

- Paris
- Munich
- Seattle
- Toronto
- Fienna

360 Pa ynys yw'r fwyaf ei maint ym Môr y Canoldir?

- Sisili
- Sardinia
- Cyprus
- Corsica
- Melita (*Malta*)

31 GWLEIDYDDIAETH CYMRU

361 Pwy oedd Ysgrifennydd Gwladol cyntaf Cymru?

362 Pwy oedd Ysgrifennydd Gwladol Ceidwadol cyntaf Cymru?

363 Pa etholaeth oedd y gyntaf i ethol Aelod Seneddol o Blaid Cymru?

364 Enwch etholaeth gyntaf Lady Megan Lloyd George.

365 Pa etholaeth y bu Geraint Howells yn ei chynrychioli o 1974 hyd 1992?

366 Pa Aelod Seneddol Cymreig fu'n arwain y Blaid Ryddfrydol wedi'r Ail Ryfel Byd?

367 Enwch un o'r ddau gyn-arweinydd Plaid Cymru a aned yn Lloegr.

368 Pwy oedd Prif Weinidog cyntaf Cymru?

369 Ym mha flwyddyn yr oedd y refferendwm cyntaf ar agor tafarnau ar y Sul yng Nghymru?

370 Ym mha flwyddyn yr oedd y refferendwm diwethaf ar agor tafarnau ar y Sul yng Nghymru?

371 Pwy oedd unig Aelod Ceidwadol y Cynulliad i gael ei ethol yn uniongyrchol yn 1999 a 2003?

372 Pwy oedd yr unig arweinydd plaid yn y Cynulliad i gadw ei arweinyddiaeth rhwng 1999 a 2003?

32 DAEARYDDIAETH

373 Ym mha wlad ceir *Kibbutz*?

374 Ai Paragwâi ynteu Periw yw'r mwyaf deheuol?

375 Ai Ynysoedd Shetland ynteu Ynysoedd Erch (*Orkney*) sydd fwyaf i'r gogledd?

376 Pa un o daleithiau Unol Daleithiau America yw'r fwyaf?

377 Pa un o daleithiau Unol Daleithiau America yw'r olaf yn nhrefn yr wyddor?

378 Pa wlad yw'r fwyaf yn y byd?

379 Pa wlad yw'r ail fwyaf yn y byd?

380 Ym mha wlad yn Ewrop y mae'r Walloniaid yn byw?

381 Ac eithrio Rwsia, pa wlad yw'r fwyaf yn Ewrop?

382 Pa ddwy wlad sy'n rhannu Ynys Hispaniola ym Môr y Caribî?

383 Pa afon sy'n llifo dan ddinas Bangor (Gwynedd)?

384 Pa afon sy'n llifo drwy Gaersws?

33 CYMRU

385 Sawl sir oedd yng Nghymru yn 1995?

386 Sawl sir oedd yng Nghymru yn 2004?

387 Sawl sir oedd yng Nghymru yn 1970?

388 Pa sir yw'r fwyaf yng Nghymru o ran tirwedd?

389 Ym mha dref y mae Theatr Hafren?

390 Ym mha dref yng Nghymru yr adroddodd Lewis Carroll ei straeon i Alice Liddell?

391 Pa mor uchel yw'r Wyddfa (mewn troedfeddi neu fetrau)?

392 Ym mhle mae'r tŷ lleiaf ym Mhrydain?

393 Beth mae'r llythrennau CYD yn ei gynrychioli?

394 Ar ba ddyddiad y mae gŵyl Santes Dwynwen?

395 Llanbadarn Gaerog oedd enw'r dref hon ar un adeg. Beth yw ei henw nawr?

396 Ar pa draeth y torrodd Syr Malcolm Campbell record cyflymder teithio ar dir yn 1924?

34 CYFRYNGAU

397 Pwy yw prif elyn Superted?

398 Pwy greodd y cymeriadau Mickey Mouse a Donald Duck?

399 Pa gomedi sefyllfa oedd wedi ei lleoli yn Warmington-On-Sea?

400 Ym mha flwyddyn y dechreuodd teledu lloeren Sky ddarlledu?

401 Pwy oedd holwr 'University Challenge' yn 2004?

402 Ym mha ffilm y mae'r cymeriadau Rhett Butler a Scarlet O'Hara yn ymddangos?

403 Ym mha gyfres deledu yr oedd Chandler, Joey, Monica, Phoebe, Rachel a Ross yn ymddangos?

404 Beth oedd enw gwraig Basil Fawlty yn y rhaglen deledu 'Fawlty Towers'?

405 Pwy oedd yr holwr gwreiddiol ar y rhaglen gwis 'Mastermind'?

406 Pwy chwaraeodd ran y prif gymeriad yn y ffilm *The Outlaw Josey Wales*?

407 Pa ffilm, a gyfarwyddwyd gan Baz Luhrmann, a osodwyd ym Montmarte, Paris, yn 1899?

408 Yn y gyfres gartŵn boblogaidd, beth yw enw'r dref neu'r ddinas lle mae'r Simpsons yn byw?

35 AMLDDEWIS

409 P'un o'r rhain yw'r rheng uchaf yn y Llu Awyr?
- Marsial (*Air Marshall*)
- Asgell-gomander (*Wing Commander*)
- Arweinydd Sgwadron (*Squadron Leader*)
- Comodôr (*Air Commodore*)
- Is-farsial (*Air Vice-marshall*)

410 Ym mha flwyddyn y cynhaliwyd Gwobr Booker am y tro cyntaf?
- 1966
- 1969
- 1971
- 1974
- 1975

411 Pa glwb pêl-droed enwog a ddechreuodd fel St. Domingo?
- Aston Villa
- Birmingham City
- Everton
- Manchester City
- Tottenham Hotspur

412 Ym mha flwyddyn y ganed T. E. Lawrence ('Lawrence of Arabia')?
- 1888
- 1895
- 1899
- 1900
- 1901

413 Ym mhle yng Nghaerdydd y mae cerflun o Aneurin Bevan?

- Yn Heol y Frenhines
- Y tu mewn i adeilad y Cynulliad
- Y tu mewn i'r Castell
- Y tu allan i'r Swyddfa Gymreig
- Y tu allan i brif fynedfa Stadiwm y Mileniwm

414 Pa un o'r pleidiau gwleidyddol hyn na safodd yn Etholiad Cyffredinol 1992?

- *Common Sense Party*
- *Up The Creek Have A Party*
- *All Night Party*
- *Forward To Mars Party*
- *Fancy Dress Party*

415 Mae Gutzon Borglum yn gysylltiedig â delwedd nodweddiadol o'r Unol Daleithiau. Pa un?

- Ef a gynlluniodd yr Empire State Building
- Ef a ysgrifennodd eiriau Anthem Genedlaethol America
- Ef a ddarganfu y Grand Canyon
- Ef a gerfiodd wynebau pedwar arlywydd ar Mount Rushmore
- Ef a gynlluniodd Bont y Golden Gate yn San Francisco

416 O dan ba enw yr oedd Arthur Stanley Jefferson fwyaf adnabyddus?

- Charlie Chaplin
- Harry Houdini
- Bing Crosby
- Stan Laurel
- Buster Keaton

417 Pa gar gafodd ei hysbysebu gan y slogan *Vorsprung durch technik*?

- Audi
- Daimler
- Jaguar
- Mercedes
- Volkswagen

418 Beth oedd enw bedydd y darlledwr Alistair Cooke?

- Adolph
- Alexander
- Alfred
- Andrew
- Aneurin

419 Ym mha wlad y mae Timbuktu?

- Mauritania
- Chad
- Cameroon
- Liberia
- Mali

420 Pwy ymladdodd Frwydr Salamis?

- Y Groegiaid a'r Persiaid
- Prydain a Sbaen
- Yr Unol Daleithiau a Siapan
- Sbaen a Phortiwgal
- Rhufain a'r Carthaginiaid

36 CREFYDD

421 Sawl darn arian a gafodd Jiwdas Iscariot am fradychu'r Iesu?

422 Pwy gafodd ei ladd gan Cain?

423 Beth na ddylid ei wneud yn ôl y chweched o'r Deg Gorchymyn?

424 Pwy a ystyrir yn sefydlydd Daoistiaeth?

425 Pa lyfr yw'r olaf yn yr Hen Destament?

426 Beth oedd enw'r carcharor a ryddhawyd pan groeshoeliwyd Iesu?

427 Beth oedd enw'r cawr a laddwyd gan Dafydd?

428 Pwy oedd duw taranau y Llychlynwyr (*Vikings*)?

429 Ym mha ddinas y mae pencadlys yr Eglwys Formonaidd?

430 Beth ddefnyddiodd Iesu i borthi'r pum mil?

431 Pryd mae dydd Iau Cablyd?

432 Pa grefydd yw prif grefydd Syria?

37 HANES

433 Ym mha wlad yr ymladdwyd y 'Wars of the Roses'?

434 Pa ryfel a ymladdwyd gan Brydain rhwng 1899 a 1902?

435 Sawl 'Tywysog Cymru' a fu yn yr ugeinfed ganrif?

436 Arweinydd pa wlad oedd yr Arlywydd Nasser?

437 Beth oedd enw cartref Owain Glyndŵr?

438 Ym mha flwyddyn yr ymosododd y *Spanish Armada* ar Brydain?

439 Ym mhle y lladdwyd Llywelyn Ein Llyw Olaf?

440 Pa enw a roddodd y Rhufeiniaid i'r Alban?

441 Pryd ymladdwyd Rhyfel Cartref Sbaen?

442 Enwch ddwy chwaer sydd wedi bod yn freninesau ar Loegr.

443 Pwy oedd Arlywydd yr Unol Daleithiau ar ddiwedd yr Ail Ryfel Byd?

444 Sawl milwr oedd gan Pizarro ar ddechrau ei frwydr yn erbyn ymerodraeth yr Inca yn 1530?

38 GWYDDONIAETH A THECHNOLEG

445 Sawl gradd Canradd yw 57 gradd Fahrenheit?

446 Sawl gradd Canradd yw 25 gradd Fahrenheit?

447 Pwy oedd y cyflenwr rhyngrwyd mwyaf poblogaidd yn y byd yn 2002, gyda dros 110 miliwn yn ei ddefnyddio?

448 Sawl owns hylifol sydd mewn peint?

449 Sawl troedfedd giwbig o ddaear sydd mewn twll 6 throedfedd wrth 5 troedfedd wrth 3 troedfedd?

450 Sawl dant sydd gan oedolyn?

451 Sut mae aciwbigo (*acupuncture*) yn trin salwch?

452 Beth yw effaith y clefyd *tinnitus*?

453 Pa feddyg oedd y dyn cyntaf i drawsblannu calon?

454 Ym mha ran o'r corff y mae'r *mandible*?

455 Pa gemegolyn sy'n gwneud planhigion yn wyrdd?

456 Pa lythyren sydd i'r dde o 'B' ar allweddell gyfrifiadur neu deipiadur?

39 AMLDDEWIS

457 Ar ddiwedd tymor 2003/04, pa bêl-droediwr oedd yr ieuengaf erioed i sgorio yn Uwch Gynghrair Lloegr?
- Michael Branch
- Danny Cadamateri
- James Milner
- Michael Owen
- Wayne Rooney

458 Beth yw 'Bath Oliver'?
- Esgid
- Het
- Sebon
- Bisgeden
- Gwrtaith

459 Ym mha faes yr oedd yr Americanwr Yogi Berra yn adnabyddus?
- Gwleidydd
- Pensaer
- Actor
- Chwaraewr pêl fas
- Cyfarwyddwr ffilmiau

460 Prifddinas pa ymerodraeth oedd Susa?
- Persia
- Babylon
- Parthia
- Asyria
- Mongolia

461 Pa beth hynod a ddigwyddodd ar Fai 17eg 1943 yn yr Ail Ryfel Byd?

- Ymosodiad ar Dieppe
- Y *Dambusters Raid*
- Rwsia yn ail-feddiannu Stalingrad
- Y Cadfridog MacArthur yn dianc o'r Philipines
- Siapan yn meddiannu Singapore

462 Cafodd George Orwell ddadl lenyddol ag awdur llyfrau plant poblogaidd. Pwy oedd yr awdur?

- Enid Blyton
- Richmal Crompton
- Frank Richards
- Capten W. E. Johns
- Angela Brazil

463 Ym mha flwyddyn y peidiodd y papur punt â bod yn arian cyfreithiol yng Nghymru a Lloegr?

- 1984
- 1985
- 1986
- 1987
- 1988

464 Pam daeth Kim Campbell i sylw'r byd yn 1993?

- Hi oedd Miss World
- Etholwyd hi'n Brif Weinidog Canada
- Hi oedd capten tîm pêl-droed merched yr Unol Daleithiau a enillodd Cwpan y Byd
- Hi ganodd cân Iwerddon yn yr 'Eurovision Song Contest'
- Hi oedd y wraig gyntaf i ennill Gwobr Booker

465 Ym mha flwyddyn y bu gwragedd yn cystadlu am y tro cyntaf yn y Gêmau Olympaidd?

- 1900
- 1904
- 1912
- 1924
- 1948

466 Pa blaid wleidyddol na chollodd yr un ernes yn Etholiad Cyffredinol 1992 ym Mhrydain?

- Y Ceidwadwyr
- Llafur
- Y Democratiaid Rhyddfrydol
- Plaid Cymru
- Yr *SNP* (Plaid Genedlaethol yr Alban)

467 Pa un o Ynysoedd y Sianel yw'r fwyaf deheuol?

- Alderney
- Guernsey
- Herm
- Jersey
- Sark

468 Pa bensaer a adferodd Gastell Caerdydd, ac a adeiladodd Gastell Coch?

- William Burges
- Thomas Johnson
- Edwin Lytens
- Simon Reece
- Frank Lloyd Wright

40 BRENHINOL BETHAU

469 Pa wlad Ewropeaidd a ailsefydlodd ei brenhiniaeth yn 1975?

470 Ym mha flwyddyn y priododd y Tywysog Siarl â Lady Diana Spencer?

471 Ym mha flwyddyn y llofruddiwyd Tsar olaf Rwsia?

472 Beth yw enw llawn Tywysog Cymru?

473 Pa frenin oedd y cyntaf i gael ei ddisgrifio fel 'Amddiffynnwr y Ffydd'?

474 Pa dywysog oedd y 'Prince Regent'?

475 Pa frenin a ddienyddiwyd adeg y Chwyldro Ffrengig yn 1793?

476 Pa frenin neu frenhines oedd y cyntaf/gyntaf i ddarlledu ar radio ym Mhrydain yn ystod ei deyrnasiad/theyrnasiad?

477 Pwy oedd y brenin diwethaf neu'r frenhines diwethaf ym Mhrydain nad oedd yn blentyn i frenin neu frenhines?

478 Pwy oedd ymerawdwr olaf yr Almaen?

479 Brenin a Brenhines pa wlad a laddwyd gan eu mab, y tywysog, yn 2001, cyn iddo ladd ei hun?

480 Pa wlad Ewropeaidd a bleidleisiodd mewn refferendwm yn 1974 i ddiddymu ei brenhiniaeth?

41 CHWARAEON

481 Ym mha ddinas y cynhaliwyd y Gêmau Olympaidd yn 1992?

482 Ym mhle y cynhelir Pencampwriaeth Agored Tennis yr Unol Daleithiau?

483 Pwy oedd y dyn cyntaf i ennill Pencampwriaeth Bocsio Pwysau Trwm y Byd dair gwaith?

484 Pwy oedd pencampwyr cyntaf Cynghrair Bêl-droed Cymru?

485 Ym mha flwyddyn y daeth tîm Rygbi Cymru yn drydydd yng Nghwpan Rygbi'r Byd?

486 Pa ras enwog a enillwyd dair gwaith gan y ceffyl Red Rum?

487 O ba wlad y daw'r cricedwr Imran Kahn?

488 Sawl pwynt a geir am botio'r bêl las yn snwcer?

489 Pa rif sydd rhwng 13 ac 18 ar fwrdd dartiau?

490 Sawl aelod sydd mewn tîm polo dŵr?

491 Mae Damon Hill yn fab i yrrwr rasio enwog. Beth oedd enw ei dad?

492 Sawl chwaraewr sydd ar y cae ar un adeg mewn gêm griced?

42 CYFFREDINOL

493 Beth a wneir ym Mhrydain, Seland Newydd, Siapan, India, Iwerddon, De Affrica a Simbabwe, ond nid yn Sbaen, Canada, Brasil a Thwrci?

494 O ba wlad y daw ceir â'r llythyren ryngwladol 'L'?

495 O ba wlad y daw ceir â'r llythyren ryngwladol 'C'?

496 *Ribes Nigrum* yw'r enw Lladin ar ba ffrwyth?

497 Sawl awr mae Cymru o flaen Califfornia?

498 Cynhaliwyd arbrawf am gyfnod o flynyddoedd ym Mhrydain pan na newidiwyd y clociau rhwng *GMT* a *BST*. Enwch un o'r blynyddoedd.

499 Ym mha ddegawd o'r ugeinfed ganrif yr oedd Edward Heath yn Brif Weinidog, y priododd y Dywysoges Anne ac y bu farw Edward VIII?

500 Maes awyr pa ddinas Eidalaidd yw Maes Awyr Marco Polo?

501 Pa liw yw'r seddau yn Nhŷ'r Cyffredin?

502 Yn dilyn rhyfel Irac yn 2003, ar ba fath o gerdyn chwarae yr oedd llun Saddam Hussein?

503 Ym mha ddinas y mae Batman yn byw?

504 Pa lyn yng Nghymru yw unig gartre'r gwyniad?

43 BLAENLYTHRENNAU

505 Pa 'J' oedd enw iawn Richard Burton?

506 Pa 'H' ddringodd mynydd Everest yn 1953?

507 Pa 'S' oedd yn Gymro ac yn aelod o'r Goons?

508 Pa 'C' oedd cartref y Brenin Arthur?

509 Pa 'S' yw gwas ffyddlon Mr Burns yn y Simpsons?

510 Pa 'R' yw awdur llyfrau Harry Potter?

511 Pa 'A' oedd arweinydd y Democratiaid Rhyddfrydol yn 1997?

512 Pa 'C' yw gwasanaeth teletestun y BBC?

513 Pa 'S' yw etholaeth Tony Blair?

514 Pa 'G' yw'r maes awyr sy'n agos i Crawley?

515 Pa 'M' oedd y brenin a wnâi i bopeth a gyffyrddai droi yn aur?

516 Pa 'B' oedd yr aderyn a oedd yn arfer hysbysebu BT?

44 PRIFDDINASOEDD

517 Prifddinas pa wlad yn Affrica yw Windhoek?

518 Prifddinas pa wlad yn America Ladin yw Managua?

519 Prifddinas pa wlad yn Affrica yw Luanda?

520 Prifddinas pa wlad yn Ewrop yw Vilnius?

521 Ulan Bator (neu Ulaanbaatar) yw prifddinas pa wlad yn Asia?

522 Phnom Penh yw prifddinas pa wlad yn Asia?

523 Tallinn yw prifddinas pa wlad yn Ewrop?

524 Zagreb yw prifddinas pa wlad Ewropeaidd?

525 Prifddinas pa wlad yn America Ladin yw La Paz?

526 Prifddinas pa wlad yn Asia yw Taipei?

527 Pa ddinas yw prifddinas y Swistir?

528 Prifddinas pa wlad yn America Ladin yw Lima?

45 CYMRU

529 Beth yw côd ffôn Bangor?

530 Ym mha dref y mae pencadlys Undeb Cenedlaethol Athrawon Cymru?

531 Ym mha dref y mae pwll glo Big Pit?

532 Pryd sefydlwyd Mudiad Ysgolion Meithrin?

533 Beth yw côd ffôn Abertawe?

534 Ym mha sir y mae Llanfair Mathafarn Eithaf?

535 Ar ba ddiwrnod y mae'r Cadeirio yn yr Eisteddfod Genedlaethol?

536 Ym mhle mae Ysbyty'r Tywysog Philip?

537 Mae dau bapur bro o'r enw 'Yr Angor'. Papur bro Aberystwyth a'r cylch yw un – ble mae'r llall?

538 Pa sir yng Nghymru sydd â'r boblogaeth uchaf?

539 Ym mhle mae Prifysgol Morgannwg?

540 Enwch y parciau cenedlaethol sydd yng Nghymru.

46 HANES

541 Arweinydd cyntaf pa wlad annibynnol oedd Bernard O'Higgins?

542 Pwy oedd Prif Weinidog Rhyddfrydol diwethaf Prydain?

543 Un o ble oedd y cadfridog Hannibal?

544 Ym mha flwyddyn yr ymosodwyd ar y Bastille ym Mharis?

545 Pwy oedd y Prif Weinidog Prydeinig diwethaf i gynrychioli sedd yng Nghymru?

546 Ym mha flwyddyn yr oedd Tân Mawr Llundain?

547 Pa wleidydd Llafur enwog o dde Cymru a fu farw yn 1960?

548 Ym mha flwyddyn yr oedd y Streic Gyffredinol ym Mhrydain?

549 Ym mha ffordd y mae Spencer Percival yn unigryw?

550 Ar ba wlad Ewropeaidd y bu Todor Zhivkov yn unben o 1954 tan 1989?

551 Pryd adeiladwyd Mur Berlin?

552 Pryd dymchwelwyd Mur Berlin?

47 GWIR NEU GAU?

553 Mae mwy o filltiroedd o gamlesi (*canals*) yn Birmingham nag sydd yn Fenis.

554 Cyn y Rhyfel Byd Cyntaf, roedd Adolf Hitler yn gweithio fel peintiwr tai yn Fienna.

555 Ar un adeg, chwaraeodd Orig Williams i glwb pêl-droed Aberystwyth.

556 Roedd yr awdur P. G. Wodehouse yn Iddew.

557 Enwyd mynydd Everest ar ôl Cymro.

558 Aeth y trên cyntaf drwy Dwnnel y Sianel yn 1994.

559 Mrs Bandaranaike o Sri Lanka oedd y ddynes gyntaf erioed i gael ei hethol yn arlywydd unrhyw wlad.

560 Younge Street, Toronto, yw'r stryd hiraf yn y byd.

561 Yn Etholiad Cyffredinol 1992, safodd gŵr o'r enw John Major Disaster yn erbyn y Prif Weinidog yn etholaeth Huntingdon.

562 Ni chwaraewyd criced erioed yn y Gêmau Olympaidd.

563 Nid yw llwynogod yn bwyta ffrwythau.

564 Bu Ronald Reagan yn gweithio fel cowboi yn Illinois o 1929 hyd 1932.

565 Pwy ysgrifennodd *Drych y Prif Oesoedd*?

566 Pa fath o lyfrau y mae Zane Grey a J. T. Edson yn eu hysgrifennu?

567 Pa fath o lyfrau y mae Ben Bova, Greg Bear a Robert Silverberg yn eu hysgrifennu?

568 Pwy yw awdur *Te yn y Grug*?

569 Ym mhle mae Llyfrgell Bodleian?

570 Beth oedd gwaith Dick Francis cyn iddo fod yn awdur?

571 Beth oedd gwaith Daniel Owen?

572 Pwy oedd awdur *Crwydro Ceredigion, Crwydro Maldwyn, Crwydro Sir Fflint* a *Crwydro Meirionnydd*?

573 O ba wlad y daeth y ditectif Hercule Poirot yn llyfrau Agatha Christie?

574 Beth oedd enw brawd Sherlock Holmes?

575 Pwy, yn nrama Shakespeare, sy'n dweud, '*To be or not to be, that is the question*'?

576 Pa awdur o Lanystumdwy a ysgrifennodd *Trieste and the Meaning of Nowhere*?

49 CYFFREDINOL

577 Ar ba raglen deledu y bu broga, mochyn ac arth yn gyflwynwyr?

578 Ym mha ddinas y mae Cadbury World?

579 Enwch un o'r ddau arlywydd Americanaidd y mae Anthony Hopkins wedi eu hactio mewn ffilm.

580 Beth yw enw chwaer Kylie Minogue?

581 P'un yw'r unig neidr wenwynig ym Mhrydain?

582 Pa anifail yw anifail gwyllt mwyaf Prydain?

583 Pwy fu'n gyfrifol am ddechrau'r arferiad o addurno coeden Nadolig ym Mhrydain?

584 Ar ba raddfa mae daeargrynfeydd yn cael eu mesur?

585 Ym mha fis y mae Americanwyr yn dathlu diwrnod Martin Luther King?

586 O dan ba enw y daeth Norma Jean Baker yn enwog?

587 Ym mha faes yr oedd Melville Dewey yn adnabyddus?

588 Ym mhle y lleolwyd 'Eldorado', opera sebon aflwyddiannus y BBC o'r 1990au?

50 AMLDDEWIS

589 P'un yw'r mwyaf gogleddol o'r rhain?

- Aberdeen
- Ben Nevis
- Dundee
- Fort William
- Inverness

590 P'un yw'r mwyaf deheuol o'r rhain?

- Barnsley
- Bolton
- Sheffield
- Manceinion
- Huddersfield

591 Pa ddiddanydd enwog a fedyddiwyd yn Caryn Elaine Johnson?

- Kim Basinger
- Kate Blanchett
- Whoopi Goldberg
- Julia Roberts
- Sharon Stone

592 O dan ba enw yr oedd yr awdures Mrs Daryl Waters fwyaf adnabyddus?

- Enid Blyton
- Barbara Cartland
- Agatha Christie
- Catherine Cookson
- Jean Plaidy

593 Ym mhle y ganed Ian Hislop, y dychanwr?

- Y Mwmbwls
- Melbourne
- Montevideo
- Marakesh
- Manceinion

594 Yn y flwyddyn 2001, sawl milltir o draffordd oedd yng Nghymru?

- 42
- 83
- 141
- 212
- 227

595 Beth oedd yn arbennig am Frwydr New Orleans yn 1815?

- Y tro olaf i frenin arwain byddin Prydain
- Roedd pedwar arlywydd Americanaidd wedi ymladd yn y frwydr hon
- Yr unig frwydr erioed rhwng Prydain a'r Unol Daleithiau
- Ymladdwyd hi ar ôl i'r ddwy wlad gytuno i ddod â'r rhyfel i ben
- Roedd menyw yn arwain byddin yr Americanwyr

596 Yn Refferendwm 1997, pa etholaeth oedd â'r ganran fwyaf o blaid datganoli?

- Gwynedd
- Ynys Môn
- Ceredigion
- Caerfyrddin
- Castell Nedd a Phort Talbot

597 Yn Refferendwm 1997, pa etholaeth oedd â'r ganran fwyaf yn erbyn datganoli?

- Blaenau Gwent
- Bro Morgannwg
- Fflint
- Mynwy
- Wrecsam

598 Pa sefydliad Cymreig sydd â'i bencadlys yn 3 Heol Westgate, Caerdydd?

- Cwmni Opera Cymru
- Awdurdod Datblygu Cymru
- Undeb Athletau Cymru
- Cymdeithas Bêl-droed Cymru
- Plaid Cymru

599 Safodd gŵr o'r enw P. Taylor yn Is-etholiad Christchurch yn 1993. Pa achos yr oedd yn ceisio'i hybu?

- Cyfreithloni canabis
- Gwrthwynebu agor siopau ar y Sul
- Adfer y gosb eithaf
- Rhoi'r sac i reolwr tîm pêl-droed Lloegr, Graham Taylor
- gwneud Dydd Gŵyl Dewi'n Ŵyl Banc

600 Pa mor aml y mae mellt yn taro'r Ddaear ar gyfartaledd?

- 100 gwaith bob awr
- 100 gwaith bob munud
- 100 gwaith bob eiliad
- 10 gwaith bob eiliad
- 10 gwaith bob munud

51 CERDDORIAETH

601 Sawl pennill sydd i 'Hen Wlad Fy Nhadau'?

602 Beth oedd ffugenw'r cerddor jazz Americanaidd, Louis Armstrong?

603 Beth mae *fortissimo* yn ei olygu?

604 Beth oedd enw cyntaf Beethoven?

605 Gan ba wlad y mae'r Anthem Genedlaethol hynaf?

606 Pwy gyfansoddodd yr Opera, 'Die Fledermaus'?

607 Pa aelod o'r Beatles a urddwyd yn farchog yn 1997?

608 Pa grŵp pop a ganodd y gân 'YMCA'?

609 Yn y gân werin Gymraeg, i ble roedd y canwr yn mynd 'gyda Deio'?

610 Yn y gân werin, pa glychau sy'n canu, 'un, dau, tri, pedwar, pump, chwech'?

611 Beth yw Gamalan?

612 Pwy gyfansoddodd yr emyn 'Tydi a roddaist liw i'r wawr'?

52 DAEARYDDIAETH

613 Pa wlad sydd â'r arfordir hiraf yn y byd?

614 O wledydd y byd sydd heb arfordir, p'un yw'r fwyaf?

615 Prifddinas pa wlad yw Kiev?

616 Pa siroedd yng Nghymru sy'n ffinio â Lloegr?

617 Pa siroedd yn Lloegr sy'n ffinio â Chymru?

618 Pe baech yn hedfan o Barcelona, ac yn teithio'n syth i'r de, pa wlad a fyddai'r gyntaf i chi ei chyrraedd wedi gadael Sbaen?

619 Pe baech yn hedfan o Gaeredin, ac yn teithio'n syth i'r dwyrain, pa wlad a fyddai'r gyntaf i chi ei chyrraedd wedi gadael yr Alban?

620 Ym mha gefnfor y mae ynysoedd y Seychelles?

621 Pa afon sy'n llifo trwy Ddulyn?

622 Trwy ba brifddinas Ewropeaidd y mae afon Vistula yn llifo?

623 Ym mha wlad y mae Waterloo?

624 Rhwng pa ddwy wlad y mae'r Khyber Pass?

53 CREFYDD

625 I sawl esgobaeth y rhennir yr Eglwys yng Nghymru?

626 Ym mhle y derbyniodd Moses y Deg Gorchymyn?

627 Pwy oedd duw rhyfel y Rhufeiniaid?

628 Pa grefydd oedd crefydd Mahatma Gandhi?

629 Pa genedl oedd prif elynion Samson?

630 Pa ddisgybl a wadodd Iesu dair gwaith?

631 Ym mhle yr oedd duwiau chwedlonol Groeg yn byw?

632 Ar pa fynydd y glaniodd Arch Noa?

633 Pa ŵyl Gristnogol sydd ar Ragfyr 28ain?

634 Am ba hyd y mae'r Grawys yn para?

635 Beth yw'r enw ar y cyfnod pan fydd Moslemiaid yn ymprydio?

636 Pwy oedd y person cyntaf i weld Iesu wedi iddo atgyfodi?

54 PÊL-DROED CYMRU A LLOEGR

637 Pwy oedd rheolwr ieuengaf Lloegr?

638 Pwy oedd gwrthwynebwyr cyntaf Cymru yn Stadiwm y Mileniwm?

639 Pa Gymro a fethodd gic o'r smotyn yn erbyn Romania yn 1993?

640 Pa chwaraewr rhyngwladol a aeth ar gwrs wlpan i ddysgu Cymraeg yn 1994?

641 Pwy oedd rheolwr Cymru o flaen Mark Hughes?

642 Pwy sydd wedi ennill y mwyaf o gapiau i Gymru?

643 Pwy sydd wedi sgorio'r nifer fwyaf o goliau i Gymru?

644 Pwy sydd wedi ennill y nifer fwyaf o gapiau i Loegr?

645 Pwy sydd wedi sgorio'r nifer fwyaf o goliau i Loegr?

646 Ym mha flwyddyn yr enillodd Lloegr Gwpan y Byd?

647 Pa chwaraewr o Gymro a aned yn Llanelwy ar 20fed Hydref 1961 yn un o ddeg o blant?

648 Pwy oedd y chwaraewr hynaf erioed i chwarae i Gymru?

55 AMLDDEWIS

649 P'un o'r nwyon canlynol sy fwyaf cyffredin yn yr atmosffer?

- Heliwm
- Hydrogen
- Neon
- Nitrogen
- Ocsygen

650 P'un o'r taleithiau Americanaidd hyn sydd heb arfordir?

- Alabama
- De Carolina
- Louisiana
- Oregon
- Tennessee

651 P'un o'r gwledydd Affricanaidd hyn sydd heb arfordir?

- Camerŵn
- Cenia
- Somalia
- Swdan
- Sambia

652 Pa mor uchel yw Tŵr Eiffel ym Mharis?

- 300 metr
- 320 metr
- 330 metr
- 350 metr
- 475 metr

653 Beth ddyfeisiodd Charlton C. Magee yn 1935?
- Anadliedydd (*Breathalyser*)
- Y clip papur
- *Meter* parcio
- Peiriant ateb ffôn
- Weiren bigog

654 P'un o Daleithiau Canada yw'r fwyaf?
- Manitoba
- Newfoundland
- Ottawa
- Quebec
- Saskatchewan

655 Pa berthynas oedd Napoleon III i Napoleon I?
- Mab
- Ŵyr
- Nai
- Gor-nai
- Brawd

656 Ym mha wlad y mae Fray Bentos?
- Ariannin
- Brasil
- Chile
- Wrwgwái
- Does dim lle o'r enw Fray Bentos

657 Ym mhle y claddwyd y Brenin Siôr VI?
- Abaty Westminster
- Eglwys Sant Pedr Mewn Cadwynau, Tŵr Llundain
- Eglwys Sant Paul, Llundain
- Mynwent Sandringham
- Capel Sant Siôr, Windsor

658 Pa arlywydd Americanaidd a laddwyd gan John Leon Guiteau?

- Lincoln
- Garfield
- McKinley
- Kennedy
- Ni laddodd John Leon Guiteau neb

659 Pa focsiwr o Gymro oedd yn aelod o MENSA?

- Steve Robinson
- Colin Jones
- Dave Pearce
- Nicky Piper
- Joe Calzaghe

660 Roedd 'Billy' Hughes yn wleidydd o dras Cymreig. Ar ba wlad y bu'n Brif Weinidog o 1915 hyd 1923?

- Awstralia
- Canada
- De Affrica
- Iwerddon
- Seland Newydd

56 CYFFREDINOL

661 Beth sy'n cael ei fesur ar raddfa Beaufort?

662 Beth gafodd ei wahardd yng Ngweriniaeth Iwerddon ym mis Mawrth 2004?

663 Ym mha sir yn Lloegr y mae Côr y Cewri (*Stonehenge*)?

664 Pa arlunydd Ffrengig sy'n enwog am ei luniau o Tahiti?

665 Cartref pa wleidydd enwog oedd Chartwell?

666 Pwy oedd y gŵr cyntaf i hwylio o gwmpas y byd ar ei ben ei hun?

667 Bu'r Tywysog Siarl yn astudio ym Mhrifysgol Cymru, Aberystwyth yn 1969. Ym mha Brifysgol arall y bu'n astudio?

668 Yn y ffilm *Psycho*, beth yw enw perchennog y motel?

669 Os yw gwartheg yn gorwedd mewn cae, arwydd o ba fath dywydd yw hynny – yn ôl y goel?

670 Enwch un o ddwy brif iaith Yr Ynys Las (*Greenland*).

671 Pwy oedd tad y Brenin Arthur?

672 Rhwng 1984 ac 1993, fe gyflwynwyd Gwobr Heddwch Nobel i dri gŵr o Dde Affrica. Enwch ddau ohonynt.

57 YMADRODDION A GEIRIAU TRAMOR

Beth yw ystyr y geiriau neu'r ymadroddion canlynol?

673 *Mens sana in corpore sano*

674 *Nil satis nisi optimum*

675 *Tempus fugit*

676 *Mot juste*

677 *Schadenfreunde*

678 *Honi soit qui mal y pense*

679 *Manos aribas!*

680 *Zeitgeist*

681 *Vox populi, vox Dei*

682 *Dies irae*

683 *Mañana*

684 *Faux pas*

58 CHWARAEON

685 Ym mha gamp y bydd cystadlu am y 'Melbourne Cup'?

686 Pwy yw'r unig Gymro i ymladd am Bencampwriaeth Bocsio Pwysau Trwm y byd?

687 Sawl pwynt a geir am ennill ras *Grand Prix*?

688 Pa focsiwr a alwodd ei hun yn 'The Greatest'?

689 Pa redwr a gollodd y fedal aur a enillodd yng Ngêmau Olympaidd 1988 wedi iddo fethu prawf cyffuriau?

690 Pa bobl oedd y cyntaf i chwarae *lacrosse*?

691 Ym mha flwyddyn yr enillodd Caerdydd Gwpan yr FA?

692 Ym myd rygbi, ym mha flwyddyn yr enillodd Lloegr Gwpan y Byd?

693 Pa ddau dîm sy'n cystadlu am Gwpan Ryder?

694 Enw ar dîm rygbi pa wlad yw'r *Pumas*?

695 Pa chwaraewr tennis oedd 'Superbrat'?

696 Ym mha gamp y byddech chi'n defnyddio 'genoa'?

59 AMLDDEWIS

697 Pa ddyfais a gynlluniwyd gan Charles Babbage yn y bedwaredd ganrif ar bymtheg?

- Camera
- Cyfrifiadur
- Teledu
- Radio
- Ffwrn feicrodon

698 Ofn beth sydd ar rywun sy'n dioddef o *brontophobia*?

- Ystlumod
- Pesychu
- Taranau
- Deinosoriaid
- Bronnau

699 Pa gân oedd y gân Brydeinig gyntaf i ennill yr Eurovision Song Contest?

- 'Boom-Bang-A-Bang'
- 'Congratulations'
- 'Jack-In-The-Box'
- 'Knock Knock, Who's There'
- 'Puppet On A String'

700 Beth yw 'dyn hysbys'?

- Term Cymraeg am 'spin doctor'
- Term Cymraeg am 'town crier'
- Math cynnar o ffotograffydd
- Swyngyfareddwr neu ddewin
- Swyddog Bwrdd Croeso Cymru

701 Anthem genedlaethol p'un o'r gwledydd hyn yw'r unig un nad oes ynddi unrhyw gyfeiriad at Dduw?

- Canada
- Cymru
- De Affrica
- Rwsia
- Seland Newydd

702 Beth oedd enw'r grŵp pop y bu Tony Blair yn aelod ohono pan oedd yn fyfyriwr?

- *Doctor in the House*
- *Dutch Courage*
- *Midnight's Children*
- *Rabid Dog*
- *Ugly Rumours*

703 Yn ôl ffigurau'r Llywodraeth, pa ganran o fenywod dros 16 oed Prydain Fawr a oedd yn ysmygu yn y flwyddyn 2000?

- 23%
- 25%
- 27%
- 29%
- 31%

704 Beth yw hynodrwydd pennaf dinas Urumqi yn China?

- Y ddinas hynaf yn y byd
- Y ddinas â'r nifer fwyaf o ieithoedd swyddogol
- Man geni Mao Tse-Tung
- Y ddinas bellaf o'r môr yn y byd
- Hon yw'r ddinas uchaf yn y byd

705 Ym mha ddinas yn yr Unol Daleithiau y cynhyrchwyd Coca-Cola yn wreiddiol?

- Atlanta
- Austin
- Chicago
- Dallas
- Memphis

706 O dan ba enw y mae Agnes Gonxha Bojaxhiu fwyaf adnabyddus?

- Jodie Foster
- Marilyn Monroe
- Madonna
- Y Fam Teresa
- Shirley Temple

707 Beth oedd cyfaddefiad rhyfeddol Tony Cascarino, un o brif sgorwyr tîm pêl-droed Iwerddon, yn ei hunangofiant?

- Ei fod wedi derbyn arian i golli gêm bwysig
- Ei fod wedi cymryd cyffuriau i wella ei chwarae
- Nad oedd yn gymwys i chwarae i Iwerddon
- Bod ei dad yn llofrudd gyda'r IRA
- Ei fod yn gwisgo dillad menyw pan fo gartref

708 Pryd y gollyngwyd y geiriau *new pence* oddi ar ddarnau arian ym Mhrydain?

- 1978
- 1979
- 1981
- 1982
- 1984

60 CYMRU

709 Pa sir sydd â'r boblogaeth leiaf yng Nghymru?

710 Pa sir yw'r leiaf yng Nghymru o ran tirwedd?

711 Pwy gynlluniodd Pont Menai?

712 Pa nofel Gymraeg a ddewiswyd yn Nofel y Ganrif yn 2000?

713 Pa afon sy'n llifo ger Llanrwst?

714 Pa afon sy'n llifo ger Machynlleth?

715 Pa bapur newydd dyddiol sydd yn gwasanaethu Abertawe a'r cylch?

716 Pa gastell yw'r mwyaf yng Nghymru?

717 Pa dref yng Nghymru a wnaed yn ddinas yn 1969?

718 Beth yw enw'r pentref dychmygol lle mae Ponty and Pop yn byw yng nghartwnau Gren yn y *South Wales Echo*?

719 Beth yw enw'r dref yng Nghymru a elwid yn 'Segontium' gan y Rhufeiniaid?

720 Côd ffôn pa dref neu ardal yng Nghymru yw 01978?

61 DAEARYDDIAETH

721 Ym mha wlad y mae maes awyr Entebbe?

722 Pa ffin rhwng dwy wlad yw'r hiraf yn y byd?

723 Ym mha wlad y mae Zeland?

724 Rhwng pa ddwy wlad y rhennir Pomerania?

725 Ym mha wlad y mae Anatolia?

726 Pa afon yw'r hiraf yn Ffrainc?

727 Sawl un o siroedd Lloegr sy'n ffinio â'r Alban?

728 Ym mha wlad y mae'r Algarve?

729 Drwy ba brifddinas y mae'r afon Potomac yn llifo?

730 Pa wlad sydd â'r nifer fwyaf o wledydd eraill yn ffinio â hi?

731 Ble mae pwynt mwyaf dwyreiniol Prydain Fawr?

732 Pe baech yn gadael Tokyo ac yn hedfan yn syth i'r dwyrain, pa wlad a fyddai'r gyntaf i chi ei chyrraedd?

62 CERDDORIAETH

733 Beth yw teitl y llyfr emynau cyd-enwadol a gyhoeddwyd yn 2001?

734 Ym mha flwyddyn y bu Elvis farw?

735 Pa wlad a gysylltir â cherddoriaeth a dawnsio fflamenco?

736 Pwy gyfansoddodd y gerddoriaeth i *West Side Story*?

737 Pwy gyfansoddodd yr oratorio 'Messiah'?

738 Pwy gyfansoddodd yr emyn, 'Cofia'n gwlad, Benllywydd tirion'?

739 Pwy yw sefydlydd Gŵyl y Faenol?

740 Cyfansoddodd John Hughes, Pontypridd, dôn adnabyddus yn 1905. Pa dôn oedd hon?

741 Pa offeryn oedd Charlie 'Bird' Parker yn arbennig o enwog am ei chwarae?

742 Pwy oedd prif leisydd Catatonia?

743 Yn Adran Gerdd pa goleg ym Mhrifysol Cymru y bu Joseph Parry, Walford Davies ac Ian Parrott yn Athrawon?

744 Beth yw teitl y gân a genir i gyfarch Arlywydd yr Unol Daleithiau yn swyddogol?

63 PA FLWYDDYN?

Ym mha flwyddyn y digwyddodd y canlynol:

745
- Chelsea yn ennill Cwpan yr FA yn y ffeinal olaf yn hen stadiwm Wembley
- Simon Thomas yn cadw Sedd Ceredigion i Blaid Cymru mewn Is-etholiad
- Y Fam Frenhines yn dathlu ei phen-blwydd yn gant oed
- Ethol Ken Livingstone yn Faer Llundain.

746
- Daeth Mikail Gorbachov i rym yn yr Undeb Sofietaidd
- Achosodd cefnogwyr Lerpwl 41 farwolaeth yn Stadiwm Heysel
- Bu farw Saunders Lewis a Kate Roberts
- Darganfuwyd olion y *Titanic*.

747
- Pleidleisiodd yr Alban o blaid cael Senedd
- Bu farw'r Fam Teresa a George Thomas
- Tîm criced Morgannwg yn ennill Pencampwriaeth y Siroedd
- Etholwyd William Hague yn arweinydd y Blaid Geidwadol.

748
- Michael Douglas a Catherine Zeta Jones yn priodi
- Cwpan Rygbi'r byd yng Nghymru
- Etholwyd Charles Kennedy yn arweinydd y Democratiaid Rhyddfrydol
- Etholiadau cyntaf y Cynulliad Cenedlaethol.

749 • Enillodd Ffrainc Gwpan y Byd
• Dangoswyd y ffilm *Titanic*
• Earth Summit yn ennill y Grand National
• Ymddiswyddodd Ron Davies fel Ysgrifennydd Cymru.

750 • Clwy'r Traed a'r Genau yn taro Prydain
• Ymddiswyddodd William Hague o fod yn arweinydd y Ceidwadwyr
• Cynhaliwyd yr Eisteddfod Genedlaethol yn Ninbych
• Penodwyd Sven-Goran Eriksson yn Rheolwr tîm pêl-droed Lloegr

751 • 'Eisteddfod y mwd' yn Abergwaun
• James Cagney, Olof Palme, a Philip Larkin yn marw
• Ariannin yn fuddugol yng Nghwpan Y Byd ym Mecsico
• Y llong ofod *Challenger* yn ffrwydro toc wedi iddi adael Cape Canaveral.

752 • Etholwyd Arnold Schwarzenegger yn Llywodraethwr Califfornia
• Tywydd bendigedig yn Eisteddfod Meifod
• Arsenal yn ennill Cwpan yr FA am yr ail flwyddyn yn olynol
• Milwyr yr Unol Daleithiau yn dal Saddam Hussein.

753 • Bu farw Bobby Moore, Jo Grimmond, River Phoenix a Les Dawson
• Y ffilm *Jurassic Park* yn llwyddiannus iawn
• Tsiecoslofacia'n rhannu'n ddwy ar Ionawr 1af
• Deddf Iaith yn cael ei phasio yn y Senedd.

754 • Yr Almaen yn ail-uno
- Margaret Thatcher yn ymddiswyddo
- Rhyddhau Nelson Mandela o'r carchar
- Llifogydd yn Nhowyn, ger Abergele.

755 • Etholwyd Arthur Scargill yn Llywydd Undeb y Glowyr
- Cynhaliwyd yr Eisteddfod Genedlaethol ym Machynlleth
- Saethwyd yr Arlywydd Reagan, y Pab, ac Arlywydd yr Aifft
- Sefydlwyd yr SDP.

756 • Rowan Williams yn Archesgob Caer-gaint
- Bu farw'r Dywysoges Margaret a'r Fam Frenhines
- Tîm pêl-droed Cymru'n trechu'r Eidal 2–1 yn Stadiwm y Mileniwm
- Ymosodiad terfysgol yn lladd dros 200 ar Ynys Bali.

64 CYFFREDINOL

757 Pa fath o anifail yw Garfield yn y cartŵn o'r un enw gan Jim Davis?

758 Ym myd cerddoriaeth, am beth y rhoddir y *MOBO Awards*?

759 Pwy oedd seren y fflim *Dr Strangelove* a'r ffilmiau *Pink Panther*?

760 Pa Arlywydd Americanaidd a ddywedodd '*Ich bin ein Berliner*'?

761 Ym mha ddinas yn Lloegr y mae gorsaf reilffordd Lime Street?

762 Beth oedd enw ceffyl y *Lone Ranger*?

763 Os yw hi'n bump o'r gloch y prynhawn yng Nghaerdydd, faint o'r gloch yw hi yn Sydney?

764 Faint o amser y mae ymgeiswyr yn ei gael i ateb cwestiynau ar y rhaglen gwis 'Mastermind'?

765 I ddathlu beth y bathwyd darn 50c arbennig yn 2000?

766 Pwy neu beth yw Chomolunga?

767 Beth oedd enw rheolwr tîm Bryncoch United yn 'C'mon Midffîld'?

768 O ba wlad yr oedd yr arlunwyr Pablo Picasso a Salvador Dali?

65 AMLDDEWIS

769 Beth sy'n cael ei fesur ar raddfa 'Kelvin'?
- Tymheredd
- Ymbelydredd
- Sŵn
- Safon oriel
- Oedran coed

770 Faint oedd oedran Tony Blair pan ddaeth yn Brif Weinidog?
- 40
- 43
- 44
- 45
- 46

771 P'un o'r canlynol sydd bellaf o Faes Awyr Heathrow yn Llundain?
- Amsterdam
- Belfast
- Brussels
- Dulyn
- Paris

772 Pa wlad oedd yn berchen ar Alaska o flaen yr Unol Daleithiau?
- Canada
- Ffrainc
- Prydain Fawr
- Rwsia
- Sbaen

773 Yn ôl Cyfrifiad 2001, pa ganran o boblogaeth Prydain a oedd yn disgrifio'i hunain yn Gristnogion?

- 90.1%
- 82.2%
- 71.6%
- 67.8%
- 59%

774 Ym mha flwyddyn y gwaharddwyd ysmygu ar drenau tanddaearol Llundain?

- 1984
- 1985
- 1987
- 1990
- 1995

775 P'un o'r rhain yw'r mwyaf gogleddol?

- Abergele
- Conwy
- Fflint
- Llangefni
- Prestatyn

776 Beth yw neu oedd Third Lanark?

- Catrawd yn y Fyddin a ddiddymwyd yn 1975
- Cymhwyster addysgiadol yng Ngweriniaeth Iwerddon sy'n ychydig is na gradd
- Y llong ryfel Brydeinig olaf i gael ei suddo yn yr Ail Ryfel Byd
- Tîm pêl-droed o'r Alban
- Mudiad Crefyddol yn ne-orllewin yr Unol Daleithiau yn hanner cyntaf yr ugeinfed ganrif

777 Ym mha flwyddyn yr aeth Premium Bonds ar werth am y tro cyntaf?

- 1951
- 1953
- 1956
- 1958
- 1960

778 Yn 1995, ymunodd gwlad na fu erioed yn rhan o'r Ymerodraeth Brydeinig â'r Gymanwlad. Pa wlad oedd hon?

- Honduras
- Madagascar
- Mauritania
- Mozambique
- Taiwan

779 Pwy yw neu oedd Louis Washkansky?

- Enw iawn y Dalai Lama
- Y dyn cyntaf i dderbyn calon newydd
- Enw iawn Joseph Stalin
- Pencampwr codi pwysau o Wlad Pwyl
- Enw iawn Clark Gable

780 Yn ôl arolwg a wnaed yn 2001, pa brifddinas oedd y rhataf i fyw ynddi?

- Budapest
- Caeredin
- Lima
- Reykjavik
- Tehran

ATEBION

1 AMLDDEWIS (tud 10)

1 Prifddinas Madagascar. Mae ychydig dros filiwn o bobl yn byw yn Antananarivo.
2 1988. Cyhoeddwyd ail argraffiad yn 2004.
3 Dolgellau.
4 Is-arlywydd cyntaf Abraham Lincoln. Pymthegfed Is-arlywydd UDA oedd Hannibal Hamlin.
5 Norman Tebbitt, gweinidog yng Nghabinet Margaret Thatcher.
6 Tîm pêl-droed o Siapan. Chwaraeodd Gary Lineker iddynt cyn ymddeol.
7 Llyn. Sonnir am Gitchee Gumee yn 'The Song of Hiawatha' gan Longfellow.
8 Llosgfynydd yn Ecwador yw Cotopaxi. Mae Cotopaxi yn rhan o'r Andes.
9 Talaith ym Mecsico. Fe'i sefydlwyd gan y Sbaenwyr yn 1563.
10 Thailand. Cyhoeddodd Prydain ryfel yn erbyn Thailand yn 1942. Ni chyhoeddwyd rhyfel yn swyddogol yn erbyn neb wedi hynny.
11 Y croesair cyntaf. Arthur Wynne a luniodd y croesair.
12 Y gêm ryngwladol gyntaf i'w chwarae dan lifoleuadau. Cymru 22 Ffrainc 9 oedd y sgôr.

2 ARIAN (tud 13)

13 Peso
14 Punt Eifftaidd
15 Krone
16 Peso
17 Sicl (*Shekel*)
18 Ien
19 Doler
20 Rwpî
21 Ewro
22 Ffranc
23 Real
24 Rwbl (newydd)

3 GWIR NEU GAU (tud 14)

25 Gau. Bob Kane oedd crëwr 'Batman'; ond nid oedd ganddo gysylltiadau â Chymru.
26 Gau
27 Gau
28 Gau. Jac Do yw enw'r aderyn. Cyfaill heglog Sali Mali yw Jac y Jwc.
29 Gwir
30 Gwir. Roedd yn enwog am ei wallt coch, trwchus.
31 Gwir. Teithiodd Helen Sharman i'r gofod yn 1991.
32 Gau. Ond roedd 'Cheers' yn enwog am ddenu pobol enwog i ymddangos yn y sioe.
33 Gau
34 Gwir
35 Gau – fe'i ceir ym Mhatagonia, Ariannin.
36 Gwir. Carol a Mark yw eu henwau.

ROWND 4 – ENWAU LLEOEDD (tud 15)

37 Libanus
38 Trefdraeth
39 Casnewydd
40 Amwythig
41 Aberdaugleddau
42 Tafwys
43 Pontarfynach
44 Ysbyty Llwynhelyg
45 Dulyn
46 Llanfair-ym-Muallt
47 Gwlad yr Haf
48 Caerlŷr

ROWND 5 – AMLDDEWIS (tud 16)

49 Y tro cyntaf i gôd bar (*barcode*) gael ei ddefnyddio mewn siop ym Mhrydain.
50 Y *Mayflower*. Roedd 101 o deithwyr ar y llong.
51 1937
52 Wrecsam
53 Mathew
54 Thrilling, California
55 Is-gadfridog (*Lieutenant-general*)
56 'Gorau Chwarae, Cyd-chwarae'
57 Hon oedd y dalaith gyntaf i roi pleidlais i wragedd. Rhoddwyd y bleidlais i wragedd Wyoming yn 1869.
58 Giant Haystacks. Roedd Giant Haystacks yn reslwr 6 troedfedd 11 modfedd o daldra.
59 Jeroboam
60 Llanddewi Brefi

ROWND 6 – GWYDDONIAETH (tud 19)

61 50 gradd Fahrenheit
62 Mercher (*Mercury*)
63 9.07 kilogram
64 Iau (*Jupiter*)
65 Cymylau
66 Arian Byw
67 Y lifft mecanyddol
68 190 gradd C, 375 gradd F
69 Copr
70 Y goes
71 *Hyper Text Transfer Protocol*
72 Y llygaid

ROWND 7 – LLENYDDIAETH (tud 20)

73 John Ceiriog Hughes
74 Aberdaron
75 William Golding
76 Enid Blyton
77 Lyn Ebenezer
78 John (neu James)
79 *The Old Devils*
80 George Orwell
81 Islwyn Ffowc Elis
82 Nicholas Nickelby
83 Robert Louis Stevenson
84 Philip Pullman

ROWND 8 – AMLDDEWIS (tud 21)

85 Y mynydd uchaf yn Awstralia
86 Groucho Marx. Roedd y pedwar brawd Marx yn gomedïwyr – Groucho, Harpo, Chico a Zeppo.

87 Popeth
88 Dyn a oedd yn honni ei fod yn un o'r 'Princes in the Tower'. Digwyddodd hyn yn ystod teyrnasiad Henry VII.
89 Amlwch
90 1974. 'Pobol y Cwm' yw opera sebon deledu hynaf y BBC.
91 Prydain a Sbaen. Cychwynnodd y rhyfel hon yn 1739.
92 Lizard Point. Mae Lizard point 25 millir i'r dwyrain o Land's End yng Nghernyw.
93 Llanelli
94 Y dyn diwethaf i gerdded ar y lleuad yn yr ugeinfed ganrif (ym mis Rhagfyr 1972).
95 Graceland. Mae Graceland yn awr yn agored i'r cyhoedd, ac yn derbyn llawer o ymwelwyr bob dydd.
96 Mao Tse-Tung. Ganed Mao yn 1893.

ROWND 9 – GWIR NEU GAU (tud 24)

97 Gau. Enw un o ynysoedd Siapan yw Honshu.
98 Gau. Roedd Bruno yn Bencampwr Pwysau Trwm y Byd ar un adeg.
99 Gau
100 Gwir. Eglwys St. Luc yr Efengylwr.
101 Gwir. Cymru oedd yn fuddugol.
102 Gwir
103 Gwir
104 Gau
105 Gwir. Dave Watson a Paul Holmes.
106 Gwir
107 Gau. Bu cyn Brif Weinidog arall, Sir Edward Heath, yn olygydd y *Church Times* o 1948 i 1949.
108 Gau

ROWND 10 – GWLEIDYDDIAETH (tud 25)

109 Nicolae Ceausescu o Romania
110 Akihito
111 Ronald Reagan yn 1984
112 1975
113 Gogledd Corea
114 Sbaen
115 Israel
116 Theodore Roosevelt
117 'Neb'
118 Seland Newydd yn 1893
119 Jeffrey Archer
24 Singapore

ROWND 11 – CHWARAEON (tud 26)

121 Steve Robinson
122 Chwech
123 Gwyddbwyll
124 Epsom
125 Aserbaijan
126 Dartiau
127 Konica
128 Mike Tyson
129 San Francisco
130 Cas-gwent
131 Lyn Davies
132 Lance Armstrong

ROWND 12 – TRIAWDAU (tud 27)

133 1977
134 Meredydd Evans, Robin Williams, Cledwyn Jones. (Gellir derbyn Islwyn Ffowc Elis.)
135 Sem, Cham a Jaffeth
136 1999
137 1936
138 Ynys Manaw
139 Nid yw'r Beibl yn eu henwi!
140 Bod yn ffyddlon i Gymru, i gyd-ddyn, ac i Grist.
141 Thomas Jefferson
142 Tom Jones
143 Seth
144 Athos, Aramis, Porthos

ROWND 13 – HANES (tud 28)

145 'Stormin' Norman Schwarzkopf
146 Rhufain a Charthag
147 Nicholas II
148 Gerald Ford
149 Y Groegiaid a'r Persiaid
150 Neville Chamberlain
151 Claudius
152 Edward VII
153 Nagasaki
154 Yr wythfed ganrif
155 Awgwstws
156 James I

ROWND 14 – AMLDDEWIS (tud 29)

157 A494

158 'Gorau Arf'. 'Pawb yn ei Fro' oedd un o gwisiau cynharaf S4C.

159 Wcráin. Bu damwain niwclear yn Chernobyl yn 1986.

160 Barbie Doll. Gwahanodd Barbie a Ken yn 2004.

161 Dulyn

162 Is-lyngesydd (*Vice-admiral*)

163 Boston. 'Cheers' oedd un o'r comedïau mwyaf poblogaidd erioed i'w darlledu yn America.

164 Dim un

165 Eldrick

166 Aberystwyth. Mae'r cerflun o flaen yr Hen Goleg, yn wynebu'r môr.

167 Porthaethwy.

168 Seattle. Agorwyd y Starbucks cyntaf yn Pike Place Market, Seattle, yn 1971.

ROWND 15 – CREFYDD (tud 32)

169 Sant Marc

170 Steffan

171 Islam

172 Delila

173 Mis Ionawr

174 Y Mormoniaid

175 Salm 119

176 Sant Luc

177 Datguddiad (Sant Ioan y Difinydd)

178 Troi'r dŵr yn win

179 Dau – Caer-gaint ac Efrog

180 Ruth neu Esther

ROWND 16 – CYFRYNGAU (tud 33)

181 (Rhagfyr) 1992
182 Cwrtmynach a Llanarthur
183 Dr Who
184 *Doctor No* yn 1962
185 'Coleg'
186 Gwasg Gomer
187 James T. Kirk neu Jean-Luc Picard neu Jonathan Archer
188 Melbourne
189 (1 Tachwedd) 1982
190 Superman
191 1960
192 Walford

ROWND 17 – CYFFREDINOL (tud 34)

193 500
194 Elvis Presley
195 Bedwyr
196 Misoedd Mawrth a Hydref
197 Pen-ôl y flwyddyn
198 Drachma
199 Cow Pie
200 Ef oedd y dyn talaf erioed (8 troedfedd 11 fodfedd).
201 Mayfair
202 Lerpwl
203 Yr FBI (Federal Bureau of Investigation)
204 Pedair

ROWND 18 – BWYD A DIOD (tud 35)

205 Yr Iseldiroedd
206 Yn yr awyr agored
207 Siapan
208 Orenau Seville
209 Cig oen rhost
210 Gyda sbinaets/pigoglys
211 Sbaen
212 Dim
213 Mesur o gwrw, neu gasgen fechan
214 India
215 Pwdin Sir Efrog (*Yorkshire Pudding*)
216 Sweden (bwrdd o fwydydd bys a bawd)

ROWND 19 – YR UNDEB EWROPEAIDD (tud 36)

217 Gwlad Groeg
218 1973
219 Iwerddon a Denmarc
220 Norwy
221 1957
222 Cytundeb Rhufain
223 Sbaen a Phortiwgal
224 Awstria, Y Ffindir, Sweden
225 Melita (*Malta*) a Chyprus
226 Y Ffindir
227 1975
228 Yr Arlywydd Charles De Gaulle o Ffrainc

ROWND 20 – AMLDDEWIS (tud 37)

229 Agincourt. Y Brenin Harry V oedd yn fuddugol dros y Ffrancwyr.
230 1935 (Mawrth 13eg). Prawf dewisol oedd yn wreiddiol; daeth yn orfodol o fewn rhai misoedd.

231 Tywyn
232 Seattle
233 Jason Walford Davies. Enillodd goron Eisteddfod Casnewydd yn 2004.
234 John Buchan. Bu'n Llywodraethwr Cyffredinol Canada o 1935 hyd 1940.
235 1864. Sefydlwyd y Groes Goch mewn cyfarfod yng Ngenefa.
236 Bwyd
237 T. Rowland Hughes. Cyhoeddwyd y nofel yn 1944.
238 Judith Keppel; ar 20 Tachwedd 2000.
239 Tecsas. Bu Tecsas yn weriniaeth annibynnol rhwng 1836 ac 1845.
240 New Orleans

ROWND 21 – GWIR NEU GAU (tud 40)

241 Gwir. Dangoswyd lluniau James T. Kirk a Jean-Luc Picard.
242 Gwir
243 Gwir. Harald V oedd ar orsedd Norwy yn 2004.
244 Gwir. Lladdwyd 7952 yn 1965, 3421 yn 1998.
245 Gau. Ni wnaeth Reagan erioed actio rhan Arlywydd yr Unol Daleithiau.
246 Gwir. Alfred George Edwards oedd Archesgob cyntaf Cymru.
247 Gau. Ganed Elizabeth II yn 1926 a Margaret Thatcher yn 1925.
248 Gau
249 Gwir. Dim ond mewn ffilmiau y dywedodd Holmes hyn.
250 Gwir. Ganed ef yn Sir Ddinbych yn 1648.
251 Gwir. Mae'r ddau yn dathlu pen-blwydd ar Fedi 25ain.
252 Gwir. Chwaraeodd Rhodri Giggs i Aberystwyth hefyd.

ROWND 22 – ENWAU LLEOEDD (tud 41)

253 Wirral
254 Hay on Wye
255 Menai Bridge
256 St. Asaph
257 Scandinavia
258 Usk
259 Mountain Ash
260 Llantwit Major
261 Carlisle
262 Chepstow
263 Tenby
264 Presteigne

ROWND 23 – CERDDORIAETH (tud 42)

265 Araf
266 'Wannabe'
267 Rossini
268 Yr Eidal
269 'Calon Lân'
270 Y ddeunawfed ganrif (1756–1791)
271 Joseph Parry
272 Hogiau Llandegái
273 Geiriau – Evan James (tad);
Tôn – James James (mab)
274 Y Ffindir
275 'Dwylo Dros y Môr'
276 Bessie Smith (?1894–1937)

ROWND 24 – CHWARAEON (tud 43)

277 George Foreman
278 Un ar ddeg
279 Hywel Davies
280 Lloegr a'r Alban
281 Wayne Rooney
282 Pum pwynt
283 Mark Spitz o'r Unol Daleithiau
284 Bocsiwr sy'n arwain â'i law chwith neu focsiwr llaw chwith.
285 Awstralia
286 22 llath
287 Pump
288 Maint 17

ROWND 25 – LLENYDDIAETH (tud 44)

289 Caradoc Evans
290 Slough
291 Daniel Defoe
292 Waldo Williams
293 Eirug Wyn
294 Joanne Harris
295 Ellis Peters
296 *Oliver Twist*
297 Daniel Owen
298 Colin Dexter
299 Llyfrau plant
300 *Macbeth*

ROWND 26 – AMLDDEWIS (tud 45)

301 Coleg Prifysgol Cymru, Aberystwyth. Mae'r cerflun yn yr Hen Goleg.
302 1996
303 Mark Twain
304 M8
305 Y ddynes gyntaf i ddringo i gopa Everest (ar 16 Mai 1975).
306 Yr Americanes gyntaf i'w gwneud yn santes gan yr Eglwys Gatholig (yn 1975).
307 Y Swistir. Mae gan y Swistir bedair iaith swyddogol.
308 'Advance Australia Fair'
309 Carmel
310 1797
311 Samoa Americanaidd (ar 11 Ebrill 2001)
312 Amwythig

ROWND 27 – DAEARYDDIAETH (tud 48)

313 Reykjavik
314 50
315 Y Fatican
316 Lesotho
317 Tua 71%
318 Athen
319 Affghanistan
320 Fietnam
321 Rhodesia (neu Southern Rhodesia)
322 Afon Donau (*Danube*)
323 Zimbabwe
324 Cairo

ROWND 28 – CYFFREDINOL (tud 49)

325 1994 (19 Tachwedd)

326 1971 (15 Chwefror)

327 Tsieina

328 *Quasi-Autonomous National* (neu *Non-*) *Governmental Organisation*

329 Alpha

330 Prydain a Ffrainc

331 *Gaucho*

332 Frank Lloyd Wright

333 Portiwgal

334 Llyfrgell y Gyngres (*Library of Congress*) yn Washington

335 Mickey Thomas

336 Dr Beeching

ROWND 29 – CHWARAEON (tud 50)

337 1993

338 Fe laniodd dyn mewn parasiwt yn y sgwâr.

339 Fe saethwyd Escobar yn farw rai dyddiau yn ddiweddarach.

340 Syr Steve Redgrave. Fe'i urddwyd yn farchog yn 2001.

341 Pêl fas (*Baseball*)

342 Pêl-droed Americanaidd

343 Frankie Dettori

344 Hoci Iâ

345 Bocsio

346 Tennis (i wragedd)

347 Tennis

348 Rasio ceffylau

ROWND 30 – AMLDDEWIS (tud 51)

349 Los Angeles
350 Y Miss World gyntaf. Hi oedd Miss Sweden a enillodd teitl Miss World yn 1951.
351 Norvell
352 Alessandra Mussolini
353 Y dyn diwethaf i gael ei grogi yng Nghymru (yn 1958).
354 Shah Iran. Diorseddwyd y Shah yn 1979.
355 Alexander Dubcek yn 1990.
356 1839. 'Lottery' oedd enw'r ceffyl buddugol.
357 Bwrdd du
358 David Ivor Davies. Ef oedd awdur y dôn 'Keep the Home Fires Burning'.
359 Toronto
360 Sisili. Mae bron i bum miliwn o bobl yn byw yn Sisili.

ROWND 31 – GWLEIDYDDIAETH CYMRU (tud 54)

361 James 'Jim' Griffiths
362 Peter Thomas
363 Caerfyrddin yn 1966 (Gwynfor Evans).
364 Sir Fôn. Hi oedd y ddynes gyntaf i fod yn Aelod Seneddol yng Nghymru.
365 Ceredigion (Ceredigion a Gogledd Penfro am gyfnod)
366 Clement Davies (Sir Drefaldwyn)
367 Dafydd Wigley neu Saunders Lewis
368 Alun Michael
369 1961

370 1996
371 David Davies (Mynwy)
372 Mike German (y Democratiaid Rhyddfrydol)

ROWND 32 – DAEARYDDIAETH (tud 55)

373 Israel
374 Paragwâi
375 Ynysoedd Shetland
376 Alaska
377 Wyoming
378 Rwsia
379 Canada
380 Gwlad Belg
381 Wcráin
382 Haiti a Gweriniaeth Dominica
383 Afon Adda
384 Afon Hafren

ROWND 33 – CYMRU (tud 56)

385 Wyth
386 Dwy ar hugain
387 Tair ar ddeg
388 Powys
389 Y Drenewydd
390 Llandudno
391 3560 troedfedd/1085 metr
392 Conwy
393 Cyngor y Dysgwyr
394 25 Ionawr
395 Aberystwyth
396 Traeth Pen Tywyn (*Pendine*). 146.16 milltir yr awr.

ROWND 34 – CYFRYNGAU (tud 57)

397 Dai Tecsas
398 Walt Disney
399 'Dad's Army'
400 (5 Chwefror) 1989
401 Jeremy Paxman
402 *Gone With The Wind*
403 'Friends'
404 Sybil
405 Magnus Magnusson
406 Clint Eastwood
407 *Moulin Rouge*
408 Springfield

ROWND 35 – AMLDDEWIS (tud 58)

409 Marsial (*Air Marshall*)
410 1969
411 Everton. Everton yw'r unig Glwb ym Mhrydain i dreulio dros 100 tymor yn yr adran uchaf.
412 1888. Ganed ef yn Nhremadog, ger Porthmadog.
413 Yn Heol y Frenhines
414 *All Night Party*
415 Ef a gerfiodd wynebau pedwar Arlywydd ar Mount Rushmore.
416 Stan Laurel, partner comedi Oliver Hardy
417 Audi
418 Alfred. Bu Alistair Cooke yn darlledu 'Letter from America' o 1946 nes iddo ymddeol yn 2004, yn 95 oed. Bu farw ym mis Mawrth yr un flwyddyn.
419 Mali. Mae gan Timbuktu boblogaeth o tua 36,000.

420 Y Groegiaid a'r Persiaid. Ymladdwyd y frwydr hon yn 480 CC Llynges y Groegiaid oedd yn fuddugol.

ROWND 36 – CREFYDD (tud 61)

421 30
422 Abel
423 Lladd
424 Lao Tse (604–531 CC)
425 Malachi
426 Barabas
427 Goliath
428 Thor
429 Salt Lake City, Utah
430 Pum torth a dau bysgodyn
431 Y diwrnod cyn Ddydd Gwener y Groglith
432 Islam

ROWND 37 – HANES (tud 62)

433 Lloegr
434 Rhyfel yn erbyn y Boeriaid (*Boer War*)
435 4. Edward VII (1901); George V (1901–1910); Edward VIII (1910–1936) a Charles (1958–)
436 Yr Aifft
437 Sycharth
438 1588
439 Cilmeri
440 Caledonia
441 1936–1939
442 Mary I ac Elizabeth I neu Mary II ac Anne
443 Harry S. Truman
444 180. Cynyddodd wrth iddo gyflogi brodorion.

ROWND 38 – GWYDDONIAETH A THECHNOLEG (tud 63)

445 14 gradd Canradd
446 77 gradd Fahrenheit
447 Hotmail
448 20
449 Dim (twll yw e!)
450 32
451 Drwy roi nodwyddau yn y corff
452 Mae'n achosi sŵn yn y clustiau
453 Dr Christiaan Barnard
454 Yr ên
455 Cloroffyl
456 'N'

ROWND 39 – AMLDDEWIS (tud 64)

457 James Milner (16 mlynedd 357 diwrnod oed). Roedd yn chwarae i Leeds United ar y pryd.
458 Bisgeden.
459 Chwaraewr pêl fas
460 Persia
461 Y *Dambusters Raid*
462 Frank Richards (ffugenw Charles Hamilton), awdur llyfrau Billy Bunter.
463 1988 (11 Mawrth)
464 Etholwyd hi'n Brif Weinidog Canada. Bu'n Brif Weinidog am 134 diwrnod yn 1993.
465 1900. Bu cystadlaethau golff a thennis i wragedd yn 1900.
466 Yr *SNP*
467 Jersey
468 William Burges (dan gomisiwn i Ardalydd Bute)

ROWND 40 – BRENHINOL BETHAU (tud 67)

469 Sbaen
470 1981
471 1918
472 Charles Philip Arthur George Windsor
473 Henry VIII
474 George IV
475 Louis XVI
476 George V, yn 1924
477 Victoria
478 Kaiser Wilhelm II
479 Nepal
480 Gwlad Groeg

ROWND 41 – CHWARAEON (tud 68)

481 Barcelona
482 Flushing Meadow, Efrog Newydd
483 Muhammad Ali (1964, 1974, 1978)
484 Cwmbrân yn 1993
485 1987 yn Seland Newydd
486 Y Grand National
487 Pacistan
488 Pump
489 Pedwar
490 Saith
491 Graham Hill
492 13 (2 yn batio ac 11 yn maesu)

ROWND 42 – CYFFREDINOL (tud 69)

493 Gyrrir ceir ar ochr chwith y ffordd.
494 Lwcsembwrg
495 Cuba
496 Cwrens duon
497 Wyth awr
498 1968–1971
499 Y 1970au
500 Fenis
501 Gwyrdd
502 Yr *Ace of Spades*
503 Gotham City
504 Llyn Tegid, y Bala

ROWND 43 – BLAENLYTHRENNAU (tud 70)

505 Jenkins
506 Hilary (Syr Edmund Hilary)
507 Secombe (Syr Harry Secombe)
508 Camlan (nid *Camelot*)
509 Smithers (Waylon Smithers)
510 J. K. Rowling
511 Paddy Ashdown
512 Ceefax
513 Sedgefield
514 Gatwick
515 Midas
516 Buzby

ROWND 44 – PRIFDDINASOEDD (tud 71)

517 Namibia
518 Nicaragua
519 Luanda
520 Lithwania
521 Mongolia

522 Cambodia
523 Estonia
524 Croatia
525 Bolifia
526 Taiwan (Gweriniaeth China)
527 Bern
528 Periw

ROWND 45 – CYMRU (tud 72)

529 01248
530 Aberystwyth
531 Blaenafon
532 1971
533 01792
534 Sir Fôn
535 Ar ddydd Gwener
536 Llanelli
537 Papur Bro Glannau Mersi/Lerpwl
538 Caerdydd
539 Yn Nhrefforest, ger Pontypridd
540 Arfordir Penfro; Bannau Brycheiniog; Eryri

ROWND 46 – HANES (tud 73)

541 Chile (1817-23)
542 David Lloyd George
543 Carthag
544 1789
545 James Callaghan
546 1666
547 Aneurin Bevan
548 1926
549 Yr unig Brif Weinidog Prydeinig i gael ei lofruddio
550 Bwlgaria
551 1961
552 1989

ROWND 47 – GWIR NEU GAU (tud 74)

553 Gwir
554 Gau. Arlunydd oedd Hitler, nid peintiwr tai.
555 Gwir. Chwaraeodd Orig i Aberystwyth yn 1953.
556 Gau
557 Gwir. Ganed Sir George Everest yn Gwerndale, Sir Frycheiniog.
558 Gau. 1993 oedd y flwyddyn.
559 Gau. Prif Weinidog oedd hi.
560 Gwir. Mae Younge Street yn mynd o Toronto i'r ffin rhwng Manitoba a'r Unol Daleithiau, 1178 milltir i ffwrdd.
561 Gau.
562 Gau. Chwaraewyd criced yng Ngêmau Olympaidd 1900.
563 Gau. Mae llwynogod yn hoff iawn o fwyar duon a llus duon.
564 Gau. Ond bu'n ddarlledwr ac yn actor cyn troi at wleidyddiaeth.

ROWND 48 – LLENYDDIAETH (tud 75)

565 Theophilus Evans
566 Nofelau Cowboi (Westerns)
567 Ffug-wyddonias (Science Fiction)
568 Kate Roberts
569 Rhydychen
570 Joci
571 Teiliwr
572 T. I. Ellis
573 Gwlad Belg
574 Mycroft
575 Hamlet
576 Jan Morris

ROWND 49 – CYFFREDINOL (tud 76)

577 'The Muppet Show'
578 Birmingham
579 Richard Nixon yn *Nixon* a John Quincy Adams yn *Amistad*
580 Dannii
581 Y wiber (*viper*)
582 Y carw coch
583 Y Tywysog Albert yn 1841
584 Graddfa Richter
585 Mis Ionawr (trydydd dydd Llun y mis)
586 Marilyn Monroe
587 Llyfrgellyddiaeth
588 Sbaen

ROWND 50 – AMLDDEWIS (tud 77)

589 Inverness
590 Sheffield
591 Yr actores Whoopi Goldberg
592 Enid Blyton. Hi ysgrifennodd am y 'Secret Seven' a'r 'Famous Five'.
593 Y Mwmbwls, 13 Gorffennaf 1960.
594 83. Yr M4 yw'r unig draffordd yng Nghymru.
595 Ymladdwyd hi ar ôl i'r ddwy wlad gytuno i ddod â'r rhyfel i ben. Nid oedd arweinwyr y byddinoedd yn gwybod hynny.
596 Castell Nedd a Phort Talbot. Pleidleisiodd 66.3% o blaid.
597 Mynwy.
598 Cymdeithas Bêl-droed Cymru.
599 Roedd eisiau rhoi'r sac i reolwr tîm pêl-droed Lloegr, Graham Taylor.
600 100 gwaith bob eiliad, yn ôl y cylchgrawn *National Geographic*.

ROWND 51 – CERDDORIAETH (tud 80)

601 Tri
602 Satchmo
603 Yn uchel iawn
604 Ludwig
605 Siapan
606 Johann Strauss
607 Syr Paul McCartney
608 Village People
609 I Dywyn
610 'Clychau Aberdyfi'
611 Cerddorfa o offerynnau taro, yn wreiddiol o Indonesia
612 T. Rowland Hughes

ROWND 52 – DAEARYDDIAETH (tud 81)

613 Canada (151,489 milltir, a chynnwys pob ynys)
614 Mongolia
615 Wcráin
616 Fflint, Wrecsam, Powys, Mynwy (4)
617 Caer, Amwythig, Henffordd, Caerloyw (4)
618 Algeria
619 Denmarc
620 Y Cefnfor Indiaidd
621 Y Liffey
622 Warsaw, gwlad Pwyl
623 Gwlad Belg
624 Affghanistan a Phacistan

ROWND 53 – CREFYDD (tud 82)

625 Chwech. Bangor, Tyddewi, Mynwy, Llanelwy, Llandâf, ac Abertawe ac Aberhonddu
626 Mynydd Sinai
627 Mawrth
628 Hindŵ
629 Y Ffilistiaid
630 Pedr
631 Mynydd Olympos
632 Ararat
633 Gŵyl y Diniweidiaid/Gŵyl y Gwirioniaid
634 40 niwrnod
635 Ramadan
636 Mair Magdalen

ROWND 54 – PÊL-DROED CYMRU A LLOEGR (tud 83)

637 Glenn Hoddle
638 Y Ffindir
639 Paul Bodin
640 Mark Aizlewood
641 Bobby Gould
642 Neville Southall (92 cap)
643 Ian Rush (28 gôl)
644 Peter Shilton (125 cap)
645 Bobby Charlton (49 gôl)
646 1966
647 Ian Rush
648 Billy Meredith (45 mlwydd oed yn 1920)

ROWND 55 – AMLDDEWIS (tud 84)

649 Nitrogen. Nitrogen yw tua 78% o'r atmosffer.
650 Tennessee
651 Sambia
652 300 metr. Agorwyd Tŵr Eiffel yn 1889.
653 *Meter* Parcio. Americanwr oedd Magee.
654 Quebec.
655 Nai. Daeth Napoleon III i rym yn Ffrainc yn 1848.
656 Wrwgwái. Porthladd ar y ffin ag Ariannin yw Fray Bentos.
657 Capel Sant Siôr, Windsor
658 Ni laddwyd neb gan John Leon Guiteau. Charles Guiteau a laddodd Garfield; Leon Czolgosz a laddodd McKinlay; John Wilkes Booth a laddodd Lincoln; Lee Harvey Oswald a laddodd Kennedy.
659 Nicky Piper
660 Awstralia. Roedd Billy Hughes yn Brif Weinidog Llafur yn 1915.

ROWND 56 – CYFFREDINOL (tud 87)

661 Cyflymder gwynt
662 Ysmygu mewn llefydd gwaith
663 Wiltshire
664 Paul Gauguin (1848–1903)
665 Winston Churchill
666 Syr Francis Chichester
667 Caer-grawnt
668 Norman Bates
669 Glaw
670 Daneg a Glasynyseg

671 Uthr Pendragon
672 Desmond Tutu; F. W. De Klerk; Nelson Mandela.

ROWND 57 – YMADRODDION A GEIRIAU TRAMOR (tud 88)

673 Meddwl iach mewn corff iach
674 Dim ond y gorau sy'n dderbyniol
675 Mae amser yn hedfan
676 Y gair cywir
677 Cael pleser o weld rhywun arall yn dioddef
678 Gwae i'r hwn sy'n meddwl yn wael ohono
679 Dwylo i fyny!
680 Ysbryd y cyfnod
681 Llais y bobl yw llais Duw
682 Dydd y Farn
683 Yfory
684 Cam gwag

ROWND 58 – CHWARAEON (tud 89)

685 Rasio ceffylau
686 Tommy Farr
687 Deg
688 Muhammad Ali
689 Ben Johnson o Ganada
690 Indiaid Gogledd America
691 1927
692 2003
693 Ewrop a'r Unol Daleithiau
694 Ariannin
695 John McEnroe
696 Hwylio. Hwyl fawr ar flaen y cwch yw hi.

ROWND 59 – AMLDDEWIS (tud 90)

697 Cyfrifiadur. Mathemategydd oedd Charles Babbage (1791–1871).

698 Taranau

699 'Puppet On A String'. Sandie Shaw a ganodd y gân yn 1967.

700 Swyngyfareddwr neu ddewin

701 Cymru

702 *Ugly Rumours*

703 25%. Roedd 29% o ddynion yn ysmygu.

704 Y ddinas bellaf o'r môr yn y byd. Mae tua 1,500 milltir o'r môr agosaf.

705 Atlanta. Mae amgueddfa Coca-Cola yn Atlanta.

706 Y Fam Teresa, enillydd Gwobr Heddwch Nobel yn 1979.

707 Nad oedd yn gymwys i chwarae i Iwerddon. Fe sgoriodd Tony Cascarino 21 gôl i'r wlad honno.

708 1982

ROWND 60 – CYMRU (tud 93)

709 Merthyr Tudful

710 Blaenau Gwent

711 Thomas Telford

712 *Cysgod y Cryman* gan Islwyn Ffowc Elis

713 Afon Conwy

714 Afon Dyfi

715 Y *South Wales Evening Post*

716 Castell Caerffili

717 Abertawe

718 Aberflyarff

719 Caernarfon

720 Wrecsam

ROWND 61 – DAEARYDDIAETH (tud 94)

721 Uganda
722 Yr un rhwng Canada a'r Unol Daleithiau (5,569 milltir)
723 Denmarc
724 Yr Almaen a Gwlad Pwyl
725 Twrci
726 Y Loire
727 Dwy – Northumberland a Cumbria
728 Portiwgal
729 Washington DC
730 China, â 15 cymydog
731 Lowestoft, yn Norfolk
732 Yr Unol Daleithiau

ROWND 62 – CERDDORIAETH (tud 95)

733 *Caneuon Ffydd*
734 1977
735 Sbaen
736 Leonard Bernstein
737 Handel
738 Elfed (H. Elvet Lewis)
739 Bryn Terfel
740 Cwm Rhondda
741 *Alto saxophone*
742 Cerys Mathews
743 Aberystwyth
744 'Hail to the Chief'

ROWND 63 – PA FLWYDDYN? (tud 96)

745 2000
746 1985
747 1997
748 1999
749 1998
750 2001
751 1986
752 2003
753 1993
754 1990
755 1981
756 2002

ROWND 64 - CYFFREDINOL (tud 99)

757 Cath
758 *Music of Black Origin* – cerddoriaeth gan bobl groenddu
759 Peter Sellers
760 John F. Kennedy
761 Lerpwl
762 Silver
763 Tri o'r gloch y bore
764 Dwy funud i bob rownd
765 150 mlynedd o lyfrgelloedd cyhoeddus ym Mhrydain
766 Chomolunga yw'r enw brodorol ar fynydd Everest. Ei ystyr yw 'Mam-dduwies y Byd'.
767 Arthur Picton
768 Catalwnia/Sbaen

769 Tymheredd

770 43. Ganed Tony Blair yn 1953.

771 Belfast – 325 milltir. Maes Awyr Charles De Gaulle ym Mharis yw'r agosaf – 215 milltir.

772 Rwsia. Prynodd yr Unol Daleithiau Alaska yn 1867.

773 71.6%. Roedd 7.3% heb ddatgan eu crefydd yn 2001.

774 1984

775 Prestatyn

776 Tîm pêl-droed o'r Alban. Aeth Third Lanark yn fethdalwyr yn 1967.

777 1956. £1000 oedd y brif wobr yr adeg honno.

778 Mozambique

779 Y dyn cyntaf i dderbyn calon newydd. Bu farw 18 diwrnod wedi iddo dderbyn y galon newydd yn 1967.

780 Tehran, prifddinas Iran